FI AC
AARON
RAMSEY

I'm cyfeillion, sydd wedi hen golli'r plot:
Sian Northey, Bethan Gwanas,
Dafydd Llewelyn ac Aled Jones.

FI AC
AARON
RAMSEY

Manon Steffan Ros

Diolch i:

Efan a Ger am fod mor garedig ac amyneddgar;

Ratbag am yr holl sgampio;

Meinir Wyn Edwards am ei sensitifrwydd arferol wrth olygu,

i Robat Trefor a phawb yn y Lolfa;

ac, wrth gwrs, i Rambo am yr ysbrydoliaeth.

Argraffiad cyntaf: 2021
Ail argraffiad: 2022
© Hawlfraint Manon Steffan Ros a'r Lolfa Cyf., 2021

Cynllun y clawr: Sion Ilar

Rhif Llyfr Rhyngwladol: 978 1 78461 859 9

Dymuna'r cyhoeddwyr gydnabod cymorth ariannol
Cyngor Llyfrau Cymru

Cyhoeddwyd ac argraffwyd yng Nghymru
ar bapur o goedwigoedd cynaladwy gan
Y Lolfa Cyf., Talybont, Ceredigion SY24 5HE
e-bost ylolfa@ylolfa.com
gwefan www.ylolfa.com
ffôn 01970 832 304
ffacs 01970 832 782

1

ROEDD HI WEDI bod yn wythnos ddigon anodd rhwng popeth. Diolch byth fod 'na bêl-droed ar ddyddiau Sadwrn.

Twrnament oedd hi ar y dydd Sadwrn, a dwi wrth fy modd efo twrnament achos mae'n golygu'ch bod chi'n cael gwylio a chwarae pêl-droed drwy'r dydd am ddiwrnod cyfan – o ddeg o'r gloch y bore tan bedwar y prynhawn. Ro'n i wedi bod yn gobeithio y byddwn i'n gwneud y tîm cynta tro 'ma, ond yr ail dîm oedd hi eto.

"Paid â digalonni, Sam," meddai Mei, yr hyfforddwr, wrth iddo 'ngweld i'n edrych braidd yn brudd ar ôl iddo'n rhannu yn dimau. "Chydig bach o waith ar y pasio, ac mi fyddi di'n siŵr o wneud y tîm cynta erbyn yr haf."

Mi feddyliais i 'mod i wedi bod yn gwneud gwaith ar fy mhasio ers misoedd a doedd o ddim fel petai'n gwella o gwbl. Ond ddywedais i ddim byd, dim ond nodio a rhoi gwên fach. Fel yna mae hi efo pêl-droed. Dach chi'n gorfod derbyn bod 'na lawer o waith caled yn gorfod cael ei wneud i rywbeth sy'n edrych fel petai'n hawdd.

O leia ro'n i a Mo ar yr un tîm. Mo ydy fy ffrind gorau i, a fydd o byth ar y tîm cynta – nid bod ots ganddo fo. Mae o'n dweud ei hun fod yn llawer gwell ganddo fo wylio pêl-droed na'i chwarae, ond mae o yn y garfan ac yn ymarfer efo ni am fod ei ffrindiau i gyd yn gwneud hynny.

Roedden ni'n rhedeg o gwmpas y cae er mwyn cynhesu, yn hanner gwylio'r timau eraill yn cyrraedd ac yn ymestyn ac yn edrych ar ei gilydd, pawb yn trio gweithio allan pwy oedd yn mynd i fod yn llwyddiannus heddiw. Roedd y fan fwyd newydd agor, a medrwn glywed arogl nionod yn ffrio, er mai dim ond deg o'r gloch y bore oedd hi.

"Dwi'n llwgu," cwynodd Mo, sy'n meddwl am ei fol o hyd, ond sydd hefyd yn fwy tenau nag unrhyw un dwi wedi ei gyfarfod erioed.

"Gest ti'm brecwast?"

"Do, siŵr. Pedwar Weetabix a tost. Ond mae'r nionod 'na'n gwneud i mi feddwl am fyrgyrs."

Dach chi'n gweld be dwi'n feddwl am archwaeth bwyd Mo?

"Sbia," meddwn i wedyn, fy ngwynt yn fy nwrn wrth i ni redeg. "Mae tîm Felin wedi cyrraedd."

Tîm Felin sy'n ennill pob un twrnament a phencampwriaeth pêl-droed ers dwi'n cofio. Gwyliais i a Mo wrth iddyn nhw ffurfio cylch o gwmpas eu hyfforddwr. Roedden nhw'n gwisgo crysau cochion efo logo cwmni adeiladu lleol ar y tu blaen, tra oedd pob tîm arall yn dibynnu ar festiau bach lliwgar i fedru gwahaniaethu rhwng un tîm a'r llall.

"Fysa chdi'n meddwl eu bod nhw'n chwarae yn yr FA Cup," meddai Mo efo gwên fach. "A sbia'r hyfforddwr!"

Roedd eu hyfforddwr yn ddyn canol oed mewn tracwisg ddrud, ac roedd o'n areithio ar y chwaraewyr yn llawn difrif. Roedd Felin yn adnabyddus am y boi yma. Fyddai o ddim wedi gallu cymryd y peth fwy o ddifri tasa fo'n rheoli Cymru yn erbyn Ffrainc yn ffeinal yr Ewros. Do'n i ddim yn nabod y boi o gwbl, ond roedd pawb yn sicr nad oedd unrhyw un erioed wedi ei weld o'n gwenu, hyd yn oed â Felin yn gwneud mor dda ym mhob un cynghrair. Do'n i ddim yn siŵr oedd o'n gallu gwenu.

Roedd ein gêm gynta yn erbyn ail dîm Caernarfon, ac er eu bod nhw'n dda, roedden ni'n well. Do'n i ddim yn agos at sgorio unig gôl y gêm, ond mi gafodd Mo *assist*, a dwi'n meddwl 'mod i wedi gwneud yn reit dda fel rhan o'r tîm amddiffyn hefyd.

Mae hi'n lot haws mewn twrnament os ydy'ch tîm chi'n dechrau drwy ennill gêm, a hefyd os oes 'na ddigon o gefnogaeth gan y dorf. Roedd Dad yna, wrth gwrs – fydd o byth yn colli gêm – ac roedd Mam wedi sôn y byddai'n dod i lawr ar gyfer y gemau olaf ar ôl bod i siopa ac ar ôl i Mati gael ei gwers nofio. Ond fyddai Dad ddim yn colli 'run eiliad o'r chwarae. Roedd o'n byw pêl-droed – doedd ganddo ddim diddordebau eraill, dim go iawn.

Wrth ei ymyl oedd Divya, mam Mo. Roedd hithau hefyd yn ffan enfawr o bêl-droed, yn wahanol i'w gŵr. Doedd gan Henry, tad Mo, ddim mymryn o ddiddordeb yn y gêm, a phan fyddai o'n dod i gemau, byddai'n tueddu i sefyll yna'n edrych fel petai'r holl beth yn benbleth iddo. Ond nid felly Divya. Er mai dynes fach, fach oedd hi, gyda gwên fawr, fawr, roedd hi'n troi'n fwystfil milain mewn gemau pêl-droed.

"O mam bach, pam ma raid iddi fod mor *uchel*?" meddai Mo wrth i ni chwarae'r drydedd gêm. Roedd Divya wedi bod yn gweiddi o'r ochr ers y dechrau un: "Dewch 'laen!" neu "C'mooooon!" ac weithiau "Be sy haru chi? Malwch nhw!" Roedd rhieni o'r timau eraill yn edrych arni, rhai yn gwenu a rhai fel petaen nhw'n synnu fod 'na ffasiwn dwrw'n gallu dod o geg dynes mor fach. Ro'n i'n licio Divya. Roedd hi'n darlithio yn y brifysgol, oedd yn swydd barchus a reit bwysig yn ôl Mam, ond doedd hi byth yn ymddwyn yn barchus nac yn bwysig o 'mlaen i.

Mi ddaeth Dad draw â byrgyr o'r fan i mi yn ystod yr hanner awr o egwyl dros ginio.

"Ketchup, no onions," meddai wrth roi'r bwyd i mi, ac er 'mod i'n gwybod mai byrgyrs rhad a digon diflas oedd y rhai o'r fan, roedd blas da arno fo am 'mod i ar lwgu. "Ti'n chwarae'n dda, Sami."

Mae Dad yn trio siarad Cymraeg weithiau, ond fel arfer dim ond os oes 'na bobol eraill o gwmpas i'w glywed o. Saesneg fydd o'n siarad adref efo ni. Er mai o Fangor mae o'n dod, doedd ei rieni o ddim yn siarad Cymraeg, a tydy o ddim yn teimlo ei fod o'n ddigon da.

"I haven't scored though," atebais a 'ngheg yn llawn.

"That's not what it's about, is it? Mae o am chwarae fel rhan o dîm."

Nodiais, wedi clywed hyn ganwaith o'r blaen. Roedd o'n rhywbeth roedd oedolion yn ei ddweud i wneud i blant deimlo'n well am beidio bod yn dda iawn am wneud chwaraeon, er fod pawb yn gwybod mewn gwirionedd fod pawb eisiau sgorio gôl. Roedd Dad, yn enwedig, yn gwybod hynny. Fo oedd un o brif sgorwyr tîm Llanfor ers blynyddoedd.

Gwyddwn yn iawn beth fyddai'n dod nesaf. Roedd o fel tiwn gron…

"A paid â bod ofn y tîm arall. When you're in defence, go for them, Sam."

Nodiais eto, er 'mod i'n gwybod mor wael o'n i am wneud hynny.

Un peth sy'n rhyfedd am fod mewn twrnament ydy bod ein tîm cynta a'n hail dîm ni wastad yn gorfod cwrdd i chwarae yn erbyn ein gilydd. Wrth gwrs, 'dan ni wedi hen arfer efo hyn – 'dan ni'n ei wneud o ar ddiwedd pob sesiwn hyfforddi – ond mae o'n dal i deimlo'n od bod mewn cystadleuaeth go iawn yn erbyn ein gilydd. 'Dan ni i gyd yn ffrindiau oddi ar y cae – wel, ddim yn ffrindiau efallai, ond yn dallt ein gilydd – ond pan dach chi'n chwarae yn erbyn rhywun dach chi'n ei nabod yn dda, mae'n rhaid i chi feddwl amdanyn nhw mewn ffordd sydd ychydig yn wahanol. Mae'n rhaid i chi feddwl beth ydy eu mannau gwan nhw, a sut fedrwch chi ddefnyddio'r pethau nad ydyn nhw'n dda iawn am wneud yn eu herbyn.

Dwi'n meddwl bod ein tîm ni wedi chwarae'n well yn y gêm yna nag unrhyw gêm arall yn ystod y dydd. Doedd y tîm cynta ddim yn teimlo eu bod nhw'n gorfod trio mor galed, efallai, am eu bod nhw'n gwybod yn barod eu bod nhw'n well na ni. A golygai hynny eu bod nhw braidd yn ddiog.

Ac mi sgoriais i gôl!

Wel… yn dechnegol, mi sgoriais i gôl, ac roedd bloedd Dad o "Yessss!" o ochr y cae, a gwaedd Mati fach, oedd newydd gyrraedd efo Mam, yn gwneud iddi swnio fel 'mod i wedi dangos mwy o sgìl a thalent na Gareth Bale neu Lionel Messi pan oedden nhw ar eu gorau. Ond y gwir amdani oedd fod Mo wedi cicio'r bêl ata i ychydig yn rhy galed (dyna drafferth Mo – *gormod* o bŵer yn ei droed dde, os rhywbeth), ac yn lle derbyn y bêl a'i hanelu am y gôl, mi drois i ffwrdd fel tasa rhywun wedi cicio bom i 'nghyfeiriad i. Ond mi darodd y bêl fy nghoes i, a rhywsut mi fownsiodd oddi arna i ac yn syth i mewn i'r gôl.

Ffliwc oedd hi. Ond gôl ydy gôl.

Petaen ni wedi ennill y gêm honno – ni, ac nid y tîm cynta – mi fydden ni wedi mynd drwodd i gêm derfynol y twrnament, a chwarae yn erbyn tîm Felin. Byddai hynny wedi bod yn dipyn o beth, achos dydy'r ail dîm byth yn curo'r tîm cynta. Ac ro'n i'n meddwl am ychydig fod hynny'n mynd i ddigwydd, achos ar ôl i mi sgorio, mi sgoriodd Dyl Bach efo cic o ganol cae, ac roedd y tîm cynta yn dechrau anesmwytho. Ond dwi'n meddwl bod hynny wedi gwneud iddyn nhw chwarae'n well, achos yn fuan wedyn roedden nhw'n bwrw goliau yn ein herbyn ni fel tasa dim fory i'w gael. 5–2 oedd hi yn y diwedd, a doedd dim gemau ar ôl i ni, dim ond aros i wylio'r tîm cynta yn y ffeinal.

"Gest ti gôl!" meddai Mati, gan ddal yn fy nghoes i. Dim ond pedair oed oedd Mati, ac weithiau roedd gen i gywilydd ohoni, ond dim heddiw. Ro'n i'n rhy flinedig.

"Da iawn chdi, 'ngwas i," meddai Mam gyda gwên flinedig, cyn tynnu Mati i ffwrdd oddi arna i. "Watsia di! Ma Sam yn fwd i gyd!"

"Nice one, Samo," dywedodd Dad, a chwarae teg, roedd o'n edrych yn falch go iawn. "Not everyone could have scored from there."

Roedd o a finnau'n gwybod y byddai hyd yn oed

Mati wedi gallu sgorio, ac efallai y byddai hi wedi cael gwell gôl hefyd, ond roedd hi'n dal yn neis ei glywed o'n ei ddweud o.

Cafodd Mo a fi gi poeth yr un wrth i ni wylio'r ffeinal rhwng ein tîm cynta ni a thîm y Felin, er ein bod ni'n dau yn gwybod yn iawn beth fyddai'r canlyniad. Felin enillodd, wrth gwrs, efo tair gôl i un, ac mi fyddai wedi bod yn bedair petai'r reff heb wneud camgymeriad a pheidio cyfri un o'u goliau nhw am ei fod o'n meddwl iddo weld camsefyll. Felly wnaeth dim un o'n timau ni ennill, ond ro'n i wedi cael chwarae pêl-droed drwy'r dydd, ac wedi sgorio gôl.

"Da iawn chi, hogiau," meddai Mei yn y stafell newid wedyn. "Mi wnaethoch chi eich gora, ac mi wnaethoch chi chwarae'n dda. Digon o ymarfer, ac mi fyddan ni'n gallu'u curo nhw." Nodiodd rhai o'r hogiau, yn dal yn siomedig ond yn falch ein bod ni wedi dod yn agos at ennill. "Hei! Ac un peth arall hefyd. Llai o'r Saesneg mawr 'ma ar y cae. 'Dan ni i gyd yn siarad Cymraeg, a Chymraeg ydy iaith ein gêm ni. Ocê?"

Gwridais pan ddywedodd o hynny.

Dach chi'n gweld, mae'n ddigon hawdd i'r rhai sydd efo mam a thad sy'n siarad Cymraeg. Mae'n ddigon hawdd i'r math o bobol sy'n mynd i'r steddfod, a'u rhieni wedi darllen llyfrau Cymraeg iddyn nhw ers oedden nhw'n fach, achos mae Cymraeg yn dod yn hollol naturiol iddyn nhw.

Hyd yn oed Mo. Wedi dysgu Cymraeg mae Divya, a dydy Henry ddim yn dallt Cymraeg o gwbl, ond wneith Divya ddim siarad gair o Saesneg efo Mo, ac mae hi'n mynnu chwarae Radio Cymru yn y car o hyd, ac yn gwylio bob un dim ar S4C. Felly mae o'n gallu meddwl am y gair Cymraeg i bob dim, hyd yn oed pethau anodd fel oergell a gellygen a geiriau eraill does prin neb yn eu defnyddio.

Ond dim fel'na mae pethau i fi. Saesneg mae Dad yn siarad gan fwyaf, ac er fod Mam yn siarad Cymraeg efo Mati a fi, dydy hithau ddim yn meddwl ei bod hi'n dda iawn chwaith. Saesneg fydd Mam a Dad yn siarad efo'i gilydd, ac mae Mam wastad yn troi i'r Saesneg pan fydd hi'n flin neu wedi blino. Dwi byth yn gwybod yn iawn pryd i dreiglo, ac mae 'na lawer o lyfrau Cymraeg dwi ddim yn eu dallt. Felly mae'n well gen i siarad Saesneg. Mae o'n haws.

Fyddwn i byth yn gallu dweud hynny wrth Mei. Fo ddechreuodd ein tîm pêl-droed ni, ac mae o'n mynnu ein bod ni'n gwneud pob dim yn Gymraeg.

Mae'n rhaid i ni ddweud geiriau fel 'camsefyll' a 'gôl-geidwad' yn lle *offside* a *goalie*. Rhaid i mi gyfaddef, ro'n i'n ei chael hi'n anodd ar ganol gêm fel yna, pan oedd fy meddwl ar y pêl-droed ac ar ennill, nid ar siarad Cymraeg.

Ond doedd Mei ddim yn flin, chwaith, dim ond yn ein hatgoffa ni. A beth bynnag, doedd o byth yn flin iawn efo fi. Fo oedd un o ffrindiau pennaf Dad. Cyn i ni fynd adref, dywedodd Mei wrth bawb yn y tîm ein bod ni wedi gwneud yn dda, a'n bod ni'n haeddu teimlo'n falch iawn ohonon ni ein hunain.

Roedd hi wedi bod yn ddiwrnod da.

Wrth i ni ddechrau cerdded am adref, a Divya a Mo efo ni am ein bod ni i gyd yn byw ar yr un stryd, pasiodd un o chwaraewyr Felin ni. Fo oedd wedi sgorio dwy o'u goliau nhw, ond am rywun oedd wedi gwneud mor dda, doedd o ddim yn edrych yn hapus iawn. Roedd o'n cerdded efo ryw foi – ei dad, mae'n siŵr – at 4x4 coch, ac roedd o wedi newid o'i grys tîm Felin i grys Juventus, a RAMSEY wedi ei sgwennu ar y cefn.

Ramsey. Aaron Ramsey. Fy hoff chwaraewr yn y byd.

Wrth iddo ddringo i mewn i'r car crand,

dywedodd ei dad wrth yr hogyn, "Paid â chael mwd dros bob man, dwi newydd gael y car wedi ei llnau."

Anwybyddodd yr hogyn ei dad yn llwyr, a dringo i mewn i'r car efo'r mwd yn dal yn drwch ar ei sgidiau. Wrth i ni basio, edrychodd ar Mo a finnau o'n pennau i'n sodlau, a gwenodd yn reit gas. Fyddwch chi'n gwybod yn iawn be dwi'n feddwl pan dwi'n dweud hynny. Mae rhai pobol yn gallu troi gwên i fod yn rhywbeth hyll, angharedig.

Rhegodd Mo dan ei wynt, ond dim ond troi i ffwrdd wnes i. Doedd yr hogyn yna, pwy bynnag oedd o, ddim yn haeddu gwisgo'r crys oedd ar ei gefn, achos fyddai Aaron Ramsey byth, byth yn rhoi edrychiad mor bigog â hynna i neb.

Dyna pryd soniodd Divya am y trip am y tro cynta.

"Dwi wedi bod yn meddwl," meddai, yn ddigon uchel i Mam a Dad glywed. "Mae 'na gêm gyfeillgar yng Nghaerdydd mewn chydig fisoedd. Cymru yn erbyn Lloegr."

"O ia?" meddai Mam.

"Meddwl o'n i, falla fysa'n neis mynd â'r hogiau."

Edrychodd Mo a minnau ar ein gilydd, ein

16

llygaid yn llydan. Mynd i weld Cymru yn chwarae?! Yn Stadiwm Dinas Caerdydd?!

"O, plis plis plis!" dywedais yn syth, gan wybod y byddai hynny'n mynd ar nerfau Mam a Dad ond hefyd yn methu peidio'i ddweud o. "Dwi rioed wedi gweld Cymru'n chwarae! O, pliiis!"

Edrychodd Mam a Dad ar ei gilydd, a gwelais Mam yn codi ei haeliau. Gwyddwn beth oedd hynny'n ei olygu…

"Yessss!" bloeddiais, a gwelais wyneb Dad yn torri'n wên hefyd.

"Dim ond os dydy o ddim yn wirion o ddrud," meddai Mam yn syth. "A dim ond os wyt ti'n gweithio'n galed yn yr ysgol, ocê?"

"Dwi wastad yn gweithio'n galed yn yr ysgol!" atebais gyda gwên.

"Wel, wyt, a dyna pam dwi'n dweud ocê. Dim ond chdi a Dad. A Divya a Mo, falla?"

"Grêt!" atebodd Divya. "Mi gadwa i lygad arnyn nhw i gyd, paid ti â phoeni, Llinos."

"Pam gawn ni ddim mynd?" holodd Mati efo'r llais cwynfannus yna fydd ganddi pan mae'n flinedig. "Dwi isio mynd i weld y pêl-droed hefyd!"

"Dwi'n gaddo mai'r tro nesa, ti a fi fydd yn

mynd, ac yn gadael Dad a Sam adref i llnau'r tŷ
o'r top i'r gwaelod!" gwenodd Mam i lawr ar Mati.
"Paid â phoeni, pwt, mi gawn ni amser arbennig
pan maen nhw i ffwrdd."

Gêm go iawn! Gêm mewn stadiwm fawr, efo
arwyr go iawn yn chwarae. Fedrwn i ddim coelio'r
peth!

Ro'n i'n mynd i weld Aaron Ramsey!

Wrth i ni gerdded i ffwrdd, wnes i prin sylwi ar y
ffordd roedd Mam a Dad yn cerdded mor bell oddi
wrth ei gilydd – Mam ar un ochr i'r lôn yn dal llaw
Mati, a Dad ar yr ochr arall yn edrych ar ei ffôn.
Ro'n i'n canolbwyntio ar sgwrsio efo Mo a Divya
am bêl-droed.

Petawn i wedi gwybod beth oedd ar fin digwydd
i ni, mi fyddwn i wedi talu mwy o sylw. Ond do'n
i ddim yn gwybod. Does neb yn disgwyl i bethau
ofnadwy ddigwydd iddyn nhw.

2

MAE'N TŶ NI'N fach, yn rhy fach yn fy marn i, er fod gan Mati a finnau ein llofftydd ein hunain. Bach, bach ydy'n stafelloedd ni – dim ond lle i un gwely cyfyng, uchel, efo droriau a desg fach oddi tanyn nhw. Ond dwi'n licio fy llofft. Dwi'n licio gallu cau'r drws ac eistedd ar fy ngwely a sbio ar yr holl bosteri sydd ar y wal.

Dyna wnes i'r prynhawn hwnnw ar ôl y twrnament. Ro'n i wedi blino'n lân, ac felly ar ôl cael brechdan menyn cnau, ro'n i'n bwriadu mynd i orwedd ar fy ngwely am gwpwl o oriau i wylio gemau pêl-droed ar YouTube. Does 'na ddim lle i eistedd ac ymlacio yn fy llofft i, felly mae'n rhaid i mi eistedd neu orwedd ar y gwely er mwyn gwneud fy ngwaith cartref neu wylio pethau ar y tabled.

Mi ddois i mewn i fy stafell a chau'r drws yn dynn ar fy ôl, cyn tynnu fy sanau budron a'u rhoi nhw mewn pentwr blêr ar lawr. Byddai'n rhaid i mi eu symud cyn i Mam neu Dad weld. Dringais ar fy ngwely a nôl fy nhabled, cyn teipio'r geiriau 'Aaron Ramsey best goals' i mewn i'r blwch chwilio.

O mam bach, roedd hi mor braf cael ymlacio ar ôl gwneud cymaint o ymarfer corff.

Pingiodd fy ffôn. Neges gan Mo.

Tisio dod draw am swpar wedyn? Mam di prynu hanner Tesco a di cau ei hun yn y gegin efo llwyth o gyw iâr a chilli!

Gwenais. Divya oedd y gogyddes orau i mi gyfarfod erioed, ond doedd hi ddim yn coginio'n aml. Henry, tad Mo, oedd yn coginio fel arfer, a phan oedd Divya'n mynd amdani roedd hi'n defnyddio pob sosban yn y gegin ac yn gwneud mynydd o fwyd.

Sori. Dad di deud bo ni'n cael Chinese. Awn ni lawr i'r Glan fory?

Y Glan oedd ein henw ni am Lôn Glan Môr, ac yn fan'no roedd 'na gae wrth ymyl yr hen harbwr lle ro'n i a Mo a'r hogiau'n mynd i chwarae pêl-droed a gwastraffu amser. I fan'no ro'n i'n mynd y rhan fwyaf o ddyddiau Sul.

K. Nai dxtio chdi wedyn.

K.

Gwasgais Play ar y fideo a dechrau gwylio'r goliau.

Dim Aaron Ramsey ro'n i'n ei wylio bob tro. Ro'n i'n meddwl y byd ohonyn nhw i gyd, pob un o chwaraewyr Cymru, a chwaraewyr eraill hefyd o ran hynny. Hyd yn oed y rhai oedd yn chwarae yn ein herbyn ni. Ro'n i'n gallu edmygu'r rheiny hefyd, os oedden nhw'n ddigon da.

Ond Rambo…

Roedd pob un fodfedd o bapur wal fy stafell wedi ei gorchuddio gan bosteri o bêl-droedwyr a thimau pêl-droed a stadia pêl-droed, siartiau o wahanol bencampwriaethau, sgarffiau i'r ychydig gemau ro'n i wedi bod iddyn nhw, poster enfawr, metalaidd o gwpan yr FA. Roedd y wal wrth fy ngwely efo posteri mawr o bawb oedd yn nhîm Cymru yn ddiweddar – Bale, Allen, Hennessey, Ampadu, Kanu. Ac, wrth gwrs, Rambo. Aaron Ramsey. Fy arwr. Roedd y poster ohono fo yn fwy na'r gweddill, achos fo oedd fy ffefryn.

Ches i ddim cyfle i wylio pêl-droed yn y diwedd.

Roedd y ffrae wedi dechrau cyn gynted ag y gwnaethon ni gamu drwy'r drws, ond wedi meddwl, efallai'i bod hi wedi bod yn ffrwtian drwy'r dydd. Fel yna oedd hi yn tŷ ni. Doedd Mam a Dad ddim wastad yn gweiddi ac yn ffraeo, ond weithiau roedd y tŷ yn teimlo'n rhyfedd i gyd, a'r ddau'n dawel, dawel yng nghwmni ei gilydd, weithiau am ddyddiau. Ac wedyn, wrth gwrs, byddai un neu'r llall yn gwneud rhyw sylw, a byddai 'na ffrae fawr, ac ar ôl hynny roedden nhw'n neis-neis efo'i gilydd ac efo ni, ac roedden ni fel teulu normal unwaith eto.

Dwi'n meddwl 'mod i'n gwybod beth oedd wedi achosi'r ffrae yma hefyd. Dad oedd wedi sôn wrth i ni groesi trothwy'r drws cefn ar ôl y twrnament. "Hey, we'll get a Chinese tonight, OK? Dy favourite di!" A phan o'n i wedi gwenu a dweud diolch, mi glywais i Mam yn ochneidio'n ddwfn.

"We don't have to," meddwn i'n sydyn, er mwyn osgoi'r ffrae oedd wedi bod ar droed ers dyddiau.

"Don't be silly! We're celebrating!" meddai Dad gyda gwên fach, ac er ei fod o'n sbio arna i, dwi'n gwybod ei fod o hefyd wedi ciledrych ar Mam i weld a fyddai ganddi rywbeth i'w ddweud.

Ond do'n i wir ddim eisiau i fy un gôl fach bitw i achosi ffrae fawr, yn enwedig heddiw a minnau'n teimlo'n reit dda rhwng popeth. Mi drois at Mam.

"Honestly, I don't care what's for dinner."

Gwenodd Mam ei gwên fach wan wedyn, yr un oedd wastad yn gwneud i mi deimlo'n euog am ryw reswm.

"Mae'n iawn, pwt," meddai mewn llais meddal. "Ma Dad yn iawn. 'Dan ni isio dathlu dy gôl di, does?"

Do'n i ddim eisiau dadlau efo neb, felly mi es i ati i wneud brechdan sydyn i mi fy hun a'i heglu hi i fyny'r grisiau, yn gwrando ar y tawelwch llethol oedd rhwng Mam a Dad.

Ond unwaith i mi orwedd ar fy ngwely, yn barod i gael cwpwl o oriau o wylio goliau ar y we, mi ddechreuodd y lleisiau i lawr y grisiau. Yn isel i ddechrau, a do'n i ddim yn gallu clywed y geiriau'n glir, ond ro'n i'n nabod y tôn yn iawn.

Roedd Mam a Dad yn ffraeo eto.

Ymhen ychydig funudau, roedd y lleisiau wedi codi, ac ro'n i'n gallu clywed ambell air: *selfish* ac *irresponsible* a *football,* ac wedyn roedd y ddau wedi gwylltio go iawn, a siawns fod y stryd i gyd yn gallu clywed yr holl ffrae, dim jyst fi.

"We can afford one takeaway on Sami's big day!"

"This has nothing to do with Sam. It's about you promising him things and not thinking about how we're going to pay the bills at the end of the month."

"Mam bach, Llinos, you do nothing but worry about money!"

"Oh, sorry! Who's going to pay for this Chinese then? You?!"

Agorodd drws fy llofft, a sleifiodd Mati i mewn. Edrychodd i fyny arna i. Roedd hithau wedi hen arfer clywed Mam a Dad yn ffraeo hefyd, felly doedd arni ddim ofn, ond doedd hi ddim yn licio eu clywed nhw fel hyn chwaith.

"Ga' i wylio cartŵns?"

Nodiais, er 'mod i ddim eisiau gwylio cartŵns, ro'n i eisiau gwylio gôls. Dringodd Mati i fyny i eistedd ar fy ngwely, ac mi ffeindiais i'r cartŵns mae hi'n licio ar yr ap, a pasio'r sgrin draw iddi hi.

"Ti isio clustffonau?"

Ysgydwodd Mati ei phen. "Dwi isio i chdi wylio efo fi."

Felly gorweddodd y ddau ohonon ni i wylio cartŵn am dywysoges oedd hefyd yn archarwres, ac er 'mod i'n edrych ar y sgrin ro'n i mewn gwirionedd yn gwrando ar ffrae Mam a Dad, oedd wedi mynd o ddrwg i waeth.

"All you think about is money, money, money…"

"Well SOMEBODY has to think about it, Huw! If it was up to you, we'd be living on beans and fresh air!"

Dydy o ddim yn fy ypsetio i. Wir rŵan. Mae pawb yn ffraeo weithia, dydyn? Ond y tro yna, wel, roedd o'n teimlo'n wahanol i'r arfer, achos taswn i heb fynd i'r twrnament, a taswn i heb sgorio'r gôl, fyddai Dad ddim wedi cynnig tecawê a fyddai'r ffrae ddim wedi digwydd o gwbl…

"Dwi'n licio bîns," meddai Mati. Do'n i ddim wedi meddwl ei bod hi'n gwrando ar Mam a Dad i lawr y grisiau, ond mae'n amlwg ei bod hi.

"A finna," cyfaddefais. "Ond faswn i ddim isio nhw i frecwast, cinio a swpar bob nos, fasat ti?"

Ysgydwodd Mati ei phen cyn rhoi gwên fach ddrygionus. "Mi faswn i'n rhechu o hyd wedyn!"

Fedrwn i ddim peidio chwerthin. "Basat! Fatha trwmped."

"It's like having three kids, not two…"

"Well if you treat me like a little boy, how do you expect me to behave?"

Barodd y ffrae ddim yn hir. Erbyn i Mati a finnau wylio dau gartŵn ac ambell fideo o gathod bach ar YouTube, roedd popeth wedi tawelu i lawr y grisiau.

Cwpwl o oriau'n ddiweddarach, galwodd Mam i fyny'r grisiau ar Mati a finnau i holi be oedden ni eisiau o'r Chinese. Dim ond bwyd plaen roedd Mati'n licio, felly dim ond bag o jips oedd hi am gael, a digon o sos coch. Mi es i lawr at Mam er mwyn sbio ar y fwydlen.

Roedd bob man fel pin mewn papur. Mae Mam yn llnau pan fydd hi'n poeni.

"Be gawn ni, un o'r prydau mawr 'na efo bob dim, i chdi a fi a Dad gael rhannu?"

Edrychais draw at Mam, ond roedd hi'n rhoi'r hwfyr i gadw. "Falla fysa'n well i ni archebu i ni'n hunain heno 'ma, Sami."

"Ocê," atebais, yn ansicr braidd achos fod rhannu bwyd yn rhatach na phryd i bawb. "Be ti am gael? A be am Dad?"

Caeodd Mam ddrws y twll dan grisiau ar yr offer glanhau, ac ochneidiodd yn ysgafn, ysgafn. "Mae o wedi mynd allan. Dwi'm yn gwybod os bydd o'n ôl i gael bwyd efo ni."

"Be? Pryd aeth o? Lle mae o 'di mynd?"

Roedd Mam yn osgoi fy llygaid i. "Dwi'm yn gwbod. Mynd yn ei dymer wnaeth o. Fydd o'n ôl, gei di weld." Doedd hi ddim yn edrych fel petai'n poeni rhyw lawer, oedd yn rhyfedd iawn i mi. Doedd Dad byth yn gadael ar ôl ffrae. Byth.

"Wnawn ni aros amdano fo 'ta."

"Mae hi'n saith o'r gloch yn barod, Sam. Mi fydd Mati'n hwyr i'w gwely fel mae hi, a ti'n gwbod pa mor flin mae hi'n mynd heb gael ei chwsg."

"Ond Dad oedd isio tecawê yn y lle cynta!"

"Wel dwi'n gwbod hynny, dydw!" Roedd ei llais wedi mynd braidd yn galed, fel petai'n fy rhybuddio i beidio gofyn ymhellach.

"Ddyliwn i decstio fo? Gofyn be mae o isio?"

"Gad iddo fo ddod at ei goed," meddai Mam, gan ymestyn am ei ffôn. "Mi ffonia i'r bwyty. Be ti isio?"

Er ei bod hi wedi cymryd hanner awr arall erbyn i ni archebu'r bwyd a'i nôl o'r bwyty, doedd Dad ddim wedi dod adref erbyn i ni fwyta. Doedd o ddim yna pan ymestynnodd Mam am yr hufen iâ i bwdin, a doedd o ddim yna ar ôl i Mati gael ei bath a'i rhoi yn ei gwely. Roedd hi wedi hen nosi pan ddaeth Mam i lawr y grisiau ar ôl rhoi stori i Mati, ac roedd hi'n edrych wedi ymlâdd.

"Na'th o ddim sôn o gwbl i lle oedd o'n mynd?" gofynnais iddi.

Doedd dim rhaid i mi ddweud am bwy o'n i'n sôn, wrth gwrs. Dwi'n meddwl ein bod ni'n tri wedi bod yn meddwl am Dad dros amser swper i gyd, er fod neb wedi sôn gair amdano.

"Naddo. Na'th o jyst rhegi a mynd." Roedd Mam wedi bod yn edrych yn flin neu'n ddi-hid am yr holl beth tan rŵan, ond bellach roedd hi'n edrych braidd yn bryderus.

Mi ges i deimlad ofnadwy yn ddwfn yn fy mol bryd hynny, yn meddwl am Mam yn poeni. Doedd rhieni byth yn poeni heblaw fod 'na rywbeth mawr o'i le.

"Wnei di ddanfon neges iddo fo? Mae o'n f'anwybyddu i…"

Felly mi wnes i anfon neges i Dad ar fy ffôn. Dim byd mawr, dim byd dramatig.

Where r u Dad? I'm worried x

Ond er i ni aros ac aros, doedd dim ateb gan Dad i fi nac i Mam.

"Paid â phoeni, Sami. Fydd o adref fory, gei di weld. Wedi mynd allan am gwpwl o beints fydd o, a theimlo piti drosto fo'i hun. Gei di weld."

Gorweddais yn fy ngwely am oriau'r noson honno, yn sbio ar sgrin fy ffôn dro ar ôl tro i weld oedd 'na ateb wedi dod gan Dad. Doedd dim gair. Llun Rambo oedd cefndir fy ffôn, ond am unwaith, dim fo ro'n i am ei weld, ond Dad, fy arwr go iawn i. Ac roedd yr hen deimlad ofnadwy yna fydd yn dod weithiau fel petai o'n llenwi bob man – fy mhen a 'nghorff a hyd yn oed fy llofft. Weithiau, ro'n i'n poeni gymaint, byddai fy meddwl yn teimlo fel petai'n gwneud sŵn uchel, er ei bod hi'n hollol dawel.

Oedd pawb yn teimlo fel hyn weithiau?

Chysgais i ddim tan i olau dydd ddechrau llifo i mewn drwy'r crac yn y llenni, a hyd yn oed wedyn roedd fy mreuddwydion yn llawn pethau ofnadwy nad o'n i'n cofio'n iawn amdanyn nhw'r bore wedyn.

3

D WN I DDIM faint o'r gloch syrthiais i gysgu'r noson honno, ond mae'n rhaid ei bod hi'n hwyr iawn achos wnes i ddim deffro tan hanner awr wedi deg fore Sul. Y peth cynta wnes i oedd edrych ar fy ffôn am neges gan Dad, ond doedd 'na ddim byd. Efallai, rhesymais, ei fod o wedi dod adref yng nghanol y nos, felly llamais allan o'r gwely a rhedeg i lawr y grisiau. Ond doedd ei sgidiau ddim yn ymyl y drws, a phan edrychais i fyny ar Mam, oedd yn plicio tatws yn y gegin, ysgydwodd ei phen.

"Be os oes 'na rywbeth wedi digwydd iddo fo?" gofynnais. Edrychodd Mati i fyny o'r teledu.

"I Dad? Mae o'n iawn, dydy?"

Rholiodd Mam ei llygaid, cyn gwenu'n ffals ar Mati. "Ydy, siŵr! Wedi cael noson off mae o 'de!" Amneidiodd ei phen i mi fynd i'r gegin ati. "Paid â siarad fel'na o flaen dy chwaer fach plis! 'Dan ni ddim isio iddi boeni."

"Ond mae Dad ar goll!"

"Tydy o'm ar goll, nadi? Mae o… Mae o 'di mynd i rwla am noson."

"Dydy Dad byth yn mynd i rwla am noson!"

Caeodd Mam ei llygaid wedyn, fel tasa hi wir yn trio stopio'i hun rhag gweiddi arna i. Do'n i methu cofio'r tro diwethaf iddi wneud hyn efo fi – roedd Mam a fi'n tynnu mlaen yn dda – ond ro'n i wedi'i gweld hi'n gwneud yr un fath efo Dad sawl tro. Yn enwedig yn ddiweddar. Roedd hi'n edrych i lawr ac yn tynnu anadl ddofn, ddofn.

"Cymer frecwast, a dos i newid. Mi fydd o'n ôl erbyn i ti ddod adref o'r Glan, gei di weld."

Ac am fod 'na ddim byd arall i'w wneud, ac am nad o'n i'n licio tynnu'n groes i Mam pan oedd hi'n amlwg mewn tymer od, dyna wnes i. Peth rhyfedd oedd o. Ar y cae pêl-droed ar y Glan, er fod pawb oedd yna efo fi yn ffrindiau i mi, ddywedais i ddim gair wrthyn nhw fod Dad ar goll, dim hyd yn oed wrth Mo. Dwi'n meddwl ei fod o wedi dyfalu bod rhywbeth o'i le achos mi ofynnodd o pam o'n i'n edrych ar fy ffôn o hyd.

"Ti'n chattio efo ryw hogan neu be?" gofynnodd, yn hanner tynnu coes.

"As if!"

"Wel rho dy ffôn i gadw 'ta'r crinc, tro chdi ydy hi'n y gôl."

Weithiau, dwi'n meddwl ei bod hi'n well gen i wneud *shoot-outs* a chwarae gemau pêl-droed bach dibwys efo fy ffrindiau na chwarae gemau go iawn efo tîm. Achos er 'mod i'n poeni am Dad, mi hedfanodd yr amser efo'r hogiau, a minnau'n gwella yn y gôl (er 'mod i byth yn mynd i fod cystal ag Emlyn, oedd bron yn 6'2" yn barod ac mor fawr â sied gardd) ac yn gwneud yn dda wrth gymryd ciciau hefyd. Weithiau, wrth chwarae efo fy ffrindiau fel hyn, ro'n i'n bêl-droediwr gwirioneddol wych, er 'mod i'n gwybod na ddyliwn i fod yn dweud ffasiwn beth amdana i fy hun. Ond roedd pawb yn dweud. Pan doedd 'na ddim pwysau arna i, ro'n i'n dda, yn wirioneddol dda.

Cyn i mi gael amser i boeni am Dad na meddwl am beth oedd yn digwydd efo Mam a Mati, roedd hi'n bedwar o'r gloch ac yn amser mynd adref. Fi a Mo oedd yn byw bellaf i ffwrdd o'r Glan. Roedden ni'n byw ym mhen arall y dref, ym Mryn Llwyd, ac er fod y criw wastad yn gadael efo'i gilydd, roedd pawb arall yn cyrraedd eu cartrefi cyn ni – Emlyn ym Maes Isalaw, Connor yn nhŷ ei nain ar Ffordd Glynne, Dante yng Nghaellepa,

Gareth ar Ffordd Penchwintan. A wedyn Mo a finnau'n cerdded yr holl ffordd heibio'r ysgol fach a'r siop ddillad fawr a'r gampfa, heibio'r ciw yn y *drive-thru* a'r arogl byrgyrs anhygoel doedden ni bron byth yn gallu'u fforddio, ac, o'r diwedd, adref.

"Ti'n siŵr bo' chdi'n ocê?" gofynnodd Mo wrth iddo droi mewn i'w giât o flaen ei dŷ. "Ti'n dawel, sti."

"'Di blino ar ôl ddoe."

Am ryw reswm, do'n i erioed wedi dweud wrth Mo am Mam a Dad yn ffraeo. Roedd o'n teimlo fel rhywbeth doedd rhywun ddim i fod i'w ddweud wrth rywun o'r tu allan i'r teulu, a beth bynnag, fyddai Mo ddim yn dallt. Am ddau oedd mor wahanol â dŵr a thân, roedd ei rieni fo'n addoli ei gilydd.

"Ocê," atebodd Mo. Dwi ddim yn meddwl ei fod o'n fy nghoelio i, ond o leia roedd o'n derbyn nad o'n i eisiau siarad. "Hei, fory ma'r gwaith Bioleg 'na fod i mewn, ia? Achos dwi heb edrych arno fo eto…"

Ro'n i ar fin gadael fy hun i mewn drwy ddrws y ffrynt, ar ôl ffarwelio â Mo, pan bingiodd fy ffôn efo sŵn tecst.

Back in an hour. We beat Llanrhyd 4–2! I scored 2 goals and we're third in the league now! WOOOOOOHOOOO!

Cymerais ochenaid ddwfn, cyn eistedd ar garreg y drws i gael dod ataf fy hun. Roedd Dad yn iawn. Doedd dim angen poeni. Roedd popeth am fod yn iawn.

Nid yn unig ei fod o'n iawn, ond roedd o'n amlwg wedi treulio'r noson yn rhywle arall, ac wedi mynd allan i chwarae pêl-droed efo'i dîm heddiw heb drafferthu dweud wrth Mam na finnau lle roedd o, beth oedd o'n ei wneud, na hyd yn oed os oedd o'n iawn.

Hynny ydy... ro'n i'n falch ei fod o wedi sgorio dwy gôl. Ac ro'n i'n falch dros y tîm. Ond mi fyddai o wedi gallu gadael i ni wybod, yn byddai? A ninnau wedi poeni gymaint?

Edrychodd Mam i fyny pan es i mewn i'r tŷ, ac roedd rhywfaint o siom ar ei hwyneb wedi iddi weld mai fi oedd yna. Mae'n rhaid nad oedd Dad wedi cysylltu efo hi o gwbl, a'i bod hi'n dal i boeni.

"Mae o ar ei ffordd yn ôl," dywedais wrth dynnu fy nhreinyrs. "Mae o newydd anfon neges."

Edrychodd Mam ar ei ffôn er mwyn gweld oedd

o wedi anfon neges ati hithau, ond gan iddi roi'r ffôn yn ôl i lawr yn syth, dwi ddim yn meddwl ei fod o.

"Na'th o ddeud lle mae o wedi bod?"

"Naddo. Dim ond fod o wedi bod yn chwarae pêl-droed."

Weithiau, pan dach chi'n nabod rhywun mor dda â mae Mam a finnau'n nabod ein gilydd, does dim rhaid i unrhyw un ddweud gair. Y cyfan wnaeth hi oedd edrych i lawr ar ei thraed, ac ew, ro'n i'n teimlo bechod drosti'n ofnadwy.

Mi ddylai Dad fod wedi tecstio.

Pan ddaeth Dad i mewn rhyw awr yn ddiweddarach, roedd o'n wên i gyd, ac roedd ganddo siocledi i fi a Mati, a thusw o flodau digon llipa i Mam.

"Sorry, Llin. I slept on Mei's sofa. I just needed time to think."

Ond roedd Mam yn teimlo gymaint o ryddhad o'i weld o adref mi anghofiodd ei bod hi i fod yn flin, ac mi dderbyniodd y blodau fel petaen nhw wedi eu gwneud o aur pur.

"Hey! I've got brilliant news," meddai Dad, yn wên o glust i glust. Roedd ei wyneb o fel petai'n sgleinio efo hapusrwydd, fel petai o'n haul i gyd.

"Be?" gofynnodd Mati, oedd wedi dechrau ar ei siocled cyn i Mam gael cyfle i ddweud wrthi am beidio.

"Dach chi ddim yn mynd i goelio hyn," meddai Dad. "There was a scout at the game today. From Peniel."

Roedd Peniel yn dref go fawr, tua awr i ffwrdd o'r fan hyn, ac roedden nhw mewn cynghrair llawer uwch na'r un roedd tîm Dad ynddo fo.

"Be ydy sgowt?" gofynnodd Mati gan ddriblo siocled i lawr ei chrys-t.

"Rhywun sy'n chwilio am bêl-droedwyr newydd, da," meddai Mam, yn craffu ar Dad fel petai'n ceisio dyfalu gweddill y stori.

"A...?" gofynnais yn ddiamynedd.

"He wants me to go there for a few training sessions, just to see. But he did say they need someone experienced like me in midfield!"

Syllais ar Dad yn gegrwth.

"Ond mae Peniel yn... It's a proper team, Dad!"

Gwenodd Dad ei wên lydan arna i.

"I know! O'n i'n meddwl 'mod i'n rhy hen. Ond Sam! It's happening! Really."

"Fedra i ddim coelio'r peth," meddai Mam. "A

tasan nhw'n dy arwyddo di… be… fasat ti'n gorfod chwarae bob dydd Sadwrn?"

"Not only that," meddai Dad, gan lapio ei freichiau o amgylch canol Mam. "But I'd be getting paid for it, Llin."

A dyma Mam a Dad yn cael y math o snog dydy plentyn *byth* eisiau gweld ei rieni yn cael.

4

ROEDD YR WYTHNOSAU nesaf yn rhai hapus iawn, iawn yn ein tŷ ni.

Dwi ddim yn siŵr ai fi sy'n meddwl hynny rŵan wrth edrych yn ôl, a minnau bellach yn gwybod bod 'na rywbeth ofnadwy ar fin digwydd i'n teulu ni. Ond dwi'n meddwl bod Mam a Dad wedi bod yn wirioneddol hapus, a bod Mati a finnau, felly, wedi bod yn hapus hefyd. Aeth Dad i ymarfer efo tîm Peniel, ac er ei fod o'n dweud bod y rhan fwyaf o'r tîm yn agosach at fy oed i na'i oed o, roedd o'n dal wedi gwneud yn dda iawn. Ar ôl dwy sesiwn ymarfer, penderfynodd Peniel arwyddo Dad fel chwaraewr canol cae.

Yn union fel Aaron Ramsey.

Wel, na, dim yn union fel fo wrth gwrs, achos roedd Rambo yn filiynydd byd-enwog a dim ond pres poced roedd Dad yn ei gael mewn gwirionedd. Ond roedd o'n bêl-droediwr, a dyna oedd yn bwysig. Roedd ganddo git smart, a bu'n rhaid iddo fo fynd i gael tynnu ei lun gan ffotograffydd proffesiynol. Roedd o'n edrych fel un o'r posteri ar waliau fy llofft.

"Hei! Ti'n meddwl faswn i'n gallu bod ar gerdyn pêl-droed?" gofynnodd wrth edrych ar y llun ar ei ffôn, ei lais yn chwerthin i gyd.

"Wyt ti'n enwog rŵan 'ta?" gofynnodd Mati, a chwarddodd Dad.

"Not quite, del."

Ond mae 'na wahanol fathau o enwogrwydd, ac unwaith i'r hogiau yn y tîm a'r ysgol glywed bod Dad wedi arwyddo i Beniel, roedden nhw'n sicr yn fwy caredig efo fi. Prynodd Divya a Henry grât o gwrw crand i Dad i ddweud llongyfarchiadau, a dywedodd Mo ei fod o'n reit eiddigeddus ohona i am gael y tad mwya cŵl yn ein blwyddyn ni. Yn yr ysgol, efallai.

"Does 'na'm lot o gystadleuaeth," meddwn dan fy ngwynt, ac edrychodd Mr Griffiths, yr athro Cymraeg, arna i'n filain ar draws y stafell ddosbarth.

"Rhywbeth dach chi isio'i rannu efo'r dosbarth, Samuel?"

"Ym… na. Sori, syr."

"Hei, Mr Griffiths! Ma tad Sam yn bêl-droediwr!"

Rhoddodd Mr Griffiths y math o wên hyll mae rhywun wastad yn ei rhoi cyn dweud rhywbeth ofnadwy.

"Wel, gobeithio fod ganddo fo ddigon o amser i helpu Sam efo'i waith cartref Cymraeg, achos mae angen pob help arno fo yn ôl y stad sydd ar ei waith cartref o."

Ochneidiais yn dawel dan fy ngwynt. Ro'n i'n swil iawn fel arfer, ond roedd Griffiths y Git wastad yn trio mynd dan fy nghroen i.

"Dydy o ddim yn siarad Cymraeg."

"Wel, bydd rhaid i chi ddod o hyd i ffordd arall o ddysgu sut i siarad eich iaith felly, Sam, achos o be wela i, sgynnoch chi ddim syniad sut mae treiglo."

Teimlais fy hun yn cochi. DYNA pam do'n i ddim eisiau siarad Cymraeg, ac mae'n siŵr mai dyna pam nad oedd Dad am wneud chwaith. Doedd neb yn licio clywed nad oedden nhw'n ddigon da.

Ond doedd hyd yn oed Griffiths y Git ddim yn ddigon i dynnu'r sglein oddi ar y cyfnod hyfryd yna. Ro'n i ar ben fy nigon.

Mae'n siŵr eich bod chi'n hen gyfarwydd â'r ffordd roedd ein tŷ ni'n teimlo yn y cyfnod yna. Dwi'n meddwl mai hapusrwydd sy'n normal i'r rhan fwyaf o bobol. Ond i mi, roedd popeth yn teimlo'n newydd ac yn wahanol, ac roedd o i gyd oherwydd pêl-droed.

Byddai Dad a finnau'n gwylio gemau bob nos.

Ar ôl swper, a minnau wedi dod adref ar ôl bod i gicio pêl efo'r hogiau, ac yntau wedi coginio neu olchi dillad neu beth bynnag tra oedd Mam yn gweithio, byddai'r ddau ohonon ni'n chwilio ar y we am ryw gêm arbennig o'r gorffennol, neu efallai am ryw symudiad arbennig roedd Dad yn awyddus i graffu arno er mwyn cael ei drio yn ei sesiynau ymarfer efo Peniel.

Roedd o'n licio gwylio Messi'n fwy na neb, ond ro'n i'n trio'i ddarbwyllo fo i edrych mwy ar Rambo.

"Sbia ar y ffordd mae Rambo'n trin y bêl."

"He *is* good," cyfaddefodd Dad, gan ymestyn am un o'r diodydd protein afiach roedd o wedi dechrau yfed yn ddiweddar. "But he's not one of the best, is he?"

"Mae o'n chwarae i Juve, Dad! Un o dimau gorau'r byd!"

"Mae Sami'n iawn, Dad," meddai Mati, oedd wedi dechrau cymryd diddordeb mewn pêl-droed yn sydyn iawn. Mae plant bach yn rhyfedd fel'na. Maen nhw'n cael obsesiwn efo rhywbeth, ac yn dysgu popeth sydd i'w wybod am y peth yna. Cyn hyn roedd Mati wedi cael obsesiynau am ddeinosoriaid, Y Dywysoges Fach, rhyw ddynes ar YouTube oedd yn dangos sut i wneud gwahanol fathau o sleim, a Rwdlan. Ac ers i Dad a finnau ddechrau treulio'n nosweithiau yn gwylio pêl-droed roedd Mati wedi bod yn ymuno â ni, ac wedi penderfynu ei bod hi'n cefnogi tîm Juventus, fel fi.

"Why support an Italian team?" meddai Dad pan ddechreuodd Mati wneud poster o logo Juventus i'w roi ar ei wal. "It's so much easier when you support a team from your own country!"

"Ti'n cefnogi Arsenal. Dydy fan'no ddim yng Nghymru, nadi?" meddai Mam, oedd yn gorffen rhyw waith wrth fwrdd y gegin. Ond roedd popeth yn iawn. Roedden ni'n gallu dweud o dôn ei llais mai bod yn chwareus oedd hi. Doedd Mam a Dad ddim wedi ffraeo unwaith ers i Dad gael ei newyddion da am Beniel, ac weithiau ro'n i'n gorwedd yn fy ngwely yn y nos yn darllen neu'n edrych ar fy ffôn a byddwn yn clywed y ddau ohonyn nhw'n chwerthin i lawr y grisiau. Byddwn i'n gorwedd yn fy ngwely yn syllu ar yr holl bosteri, ac yn meddwl pa mor lwcus oedden ni ein bod ni'n hapus yn tŷ ni bellach.

Chymerodd hi ddim yn hir i ddarbwyllo Dad mai Rambo oedd un o'r pêl-droedwyr gorau oedd yn chwarae ar hyn o bryd. Un noson mi wnes i ei orfodi i wylio llwyth o fideos o Rambo'n chwarae ac ar ôl rhyw ddeng munud ochneidiodd Dad a dweud, "I can see what you mean, Sami. He's dancing on that pitch, isn't he?"

Ac oedd, mi oedd o'n dawnsio. Roedd pawb yn dotio at Gareth Bale – wel, wrth gwrs eu bod nhw, roedd o'n anhygoel – ond am ei fod o'n ffasiwn seren, roedd pobol yn tueddu i anghofio am Rambo. Ond dim fi. I fi, Rambo oedd y gorau.

Y diwrnod cyn i Dad chwarae ei gêm gynta i Beniel, aeth yr hogiau a finnau i'r Glan yn syth ar ôl ysgol. Roedd Mam wastad yn rhoi ychydig o bunnoedd i mi ar ddydd Gwener, felly ro'n i wedi prynu donyts a diod a chreision i'w bwyta ar y ffordd i lawr yna, a doedd dim ots os oedd fy nillad ysgol i'n mynd yn fwdlyd am ei bod hi'n ddydd Gwener ac y byddan nhw'n cael eu golchi beth bynnag. Dyddiau Gwener oedd y gorau, ac roedd heddiw'n teimlo'n arbennig am fod gêm gynta Dad fory, a phopeth mor hapus adref.

"Hei! Mae Cymru'n chwarae wsnos nesa," meddai Connor. "Dach chi am fynd i'r clwb i weld y gêm?"

Doedd dim un lle gwell i wylio Cymru'n chwarae na'r clwb pêl-droed, wel, heblaw am fod yn y gêm go iawn, mewn stadiwm efo'r dorf a'r pêl-droedwyr yna go iawn… Ond dim ond pobol gyfoethog sydd yn gallu fforddio hynny fel arfer.

"Wrth gwrs," meddai Emlyn gan wagio gweddill ei becyn creision i'w geg. "Hei, Sam! Dy dad sy'n fan'na?"

Troais i weld fan Dad wedi ei pharcio ar y lôn yn ymyl y siop fach. Roedd o'n gwagio'r blwch post ar y gornel. Roedd Dad wedi bod yn ddyn post ers ymhell cyn i mi gael fy ngeni ond doedd o ddim yn gweithio yn y rhan yma o'r dref fel arfer.

Rŵan, dach chi'n gwybod sut mae o'n teimlo pan dach chi efo criw mawr o'ch ffrindiau a dach chi'n gweld un o'ch rhieni. Mae o'n ofnadwy. Waeth faint dach chi'n caru eich rhieni a'ch ffrindiau, a waeth faint o weithiau mae'ch mêts wedi bod draw i'ch tŷ chi ac wedi cwrdd â'ch teulu, mae o'n dal i deimlo'n chwithig. A dyna ddechreuais i deimlo'r prynhawn Gwener yna – embaras yn chwyddo'n fawr y tu mewn i mi. Roedd o'n ddigon pell i ffwrdd, ac yn canolbwyntio ar y sach o bost yn ei law a doedd o ddim wedi sylwi arnon ni. *Plis paid edrych i fyny*, meddyliais heb ddweud gair. *Plis plis paid â sylwi 'mod i yma...*

Ond dyna pryd dechreuodd Dante weiddi, "Huw! Hei, Huw!" ac edrychodd Dad i fyny. Gwenodd a chodi llaw arnon ni, gan daflu'r sach post i gefn y fan a cherdded draw.

Arhosais i'r tynnu coes ddechrau gan yr hogiau.

Ond wyddoch chi be sy'n rhyfedd?

Ddywedodd neb 'run gair.

"Hei, Sam," meddai Dad wrth gyrraedd y cae pêl-droed. Gwenais arno. "Alright, lads?"

Nodiodd yr hogiau'n frwd, ond roedd rhywbeth yn rhyfedd am y ffordd roedden nhw'n ymddwyn. Doedden nhw ddim yn od fel roedden nhw'n arfer bod efo rhieni eraill.

"Fory dach chi'n dechrau efo Peniel, ia?" gofynnodd Gareth, a nodiodd Dad.

"Ia. I've been trying to keep my fitness up. Eating healthily," atebodd Dad. "A hei, peidiwch â galw fi'n chi, ocê?"

Nodiodd Emlyn, a dweud, "Dwi wedi bod yn codi'n gynt er mwyn mynd allan am jog cyn ysgol.

Ond mae'n anodd pan mae'n bwrw. A sgin i ddim mynadd mynd i'r *gym*."

A dyna pryd sylweddolais i beth oedd yn rhyfedd am y ffordd roedd y bechgyn o gwmpas Dad. Achos, er bod y rhan fwyaf ohonyn nhw wedi eu nabod o ers oedden ni i gyd yn hogiau bach, doedden nhw ddim yn ei weld o fel fy nhad i mwyach. Roedden nhw'n ei weld o fel pêl-droediwr go iawn.

Roedd fy ffrindiau yn edmygu Dad!

"Mae o'n anodd. Especially the healthy eating. I love junk food," meddai Dad gyda gwên, a chwarddodd rhai o'r hogiau. "I've got an app on my phone to track my protein and carbs and all that. Trying to feed my muscles."

"Mae gen i yncl sy'n codi pwysa ac mae o'n bwyta dau becyn o basta bob un dydd. A llwyth o gig," meddai Dante.

"Mae Sam yn helpu fi. We've been watching videos of Aaron Ramsey, trying to work out how he gets himself out of those tackles so easily."

Gwenodd yr hogiau, ac ebychodd Mo yn siriol.

"O, paid â dechrau sôn am Rambo, plis, neu fydd Sam ddim yn cau ei geg."

"Hei! Ti isio gêm fach 'ŵan?" gofynnodd Emlyn wrth Dad. Roedd gweld Emlyn a Dad yn rhyfedd, achos fod Emlyn yn dalach na fo, a Dad yn edrych mor ifanc yn ei siorts dyn post oedd yn dangos y tatŵ Arsenal ar ei goes.

Chwarae teg i Dad. Edrychodd o draw ata i er mwyn gwneud yn siŵr 'mod i ddim yn teimlo'n rhyfedd amdano'n ymuno efo fi a fy ffrindiau i gicio pêl.

"Ooo, dwn i'm hogiau… I'm meant to be working…"

"Mond pum munud bach?" dywedais, ac ro'n i'n ei feddwl o hefyd. Teimlad braf oedd cael tad roedd pawb yn ei licio.

Felly, ar y diwrnod cyn ei gêm fawr i Beniel, chwaraeodd Dad ddeng munud o bêl-droed efo fi a'r hogiau i lawr yn y Glan, ac mi dywynnodd yr haul arnon ni, a cheisiodd Dad a finnau ail-greu'r ffordd roedd Aaron Ramsey'n osgoi'r tacls ac yn cadw meddiant ar y bêl. Ac ar y diwedd, wrth i Dad gerdded yn ôl i'w fan bost, trodd a chodi bawd arna i.

"See you back home, Sam!" galwodd. A dwi ddim yn meddwl i mi erioed deimlo mor falch o fod yn fab i fy nhad ag a wnes i'r eiliad honno.

Taswn i ond yn gwybod mai dyna'r tro olaf un y byddwn i'n gallu chwarae pêl-droed efo Dad…

5

DWI DDIM EISIAU dweud gormod am gêm gynta Dad yn chwarae dros Beniel, achos mae'r atgof wedi troi'n un digon od. Achos popeth ddigwyddodd wedyn, mae'r diwrnod i gyd wedi mynd yn gymysgfa ryfedd yn fy mhen, a fedra i ond cofio rhai rhannau'n glir. Y rhannau pwysig i gyd.

Mi aeth Dad yn ei gar yn gynnar yn y bore, gan ddweud hwyl fawr wrthon ni, a phlannu sws fawr ar geg Mam cyn iddo fo adael. Mi wnes i ebychu, a dweud, *Afiach,* dan fy ngwynt, a chwarddodd Mam a Dad ar fy mhen. Dim ond tynnu coes o'n i, wrth gwrs, ond mae rhywun i fod i ymddwyn fel'na pan fydd eu rhieni'n cusanu o'u blaenau nhw.

Wrth gwrs, roedd Mam a Mati a finnau eisiau gweld y gêm fawr, ond doedd dim rhaid i ni fynd mor gynnar. Mi wisgais i'r crys pêl-droed Cymru oedd gen i ers y Nadolig – efo RAMSEY ar y cefn, wrth gwrs. Roedd Mati, yn ei hobsesiwn newydd am bêl-droed, wedi dod o hyd i hen grys Juventus oedd gen i pan o'n i'n fach, ac roedd hi wedi gwisgo'r crys dros ffrog goch efo blodau bach sgleiniog arni. Roedd hi'n edrych yn wirion bost, ond mae genod pedair oed yn cael edrych yn wirion bost.

Mi sylwais i hefyd fod Mam wedi mynd i drafferth efo'i gwallt ac wedi gwneud ei cholur. Roedd hi'n gwisgo'r jîns drud gafodd hi gan Nain yn anrheg Nadolig, a chôt hir ddu yn lle'r gôt law bydd hi'n gwisgo fel arfer. Roedd yr holl beth yn rhyfedd. Roedd y tri ohonon ni eisiau edrych ein gorau, er ein bod ni'n mynd i sefyll ar ochr cae yn yr oerfel.

"Ti'n edrych yn neis," dywedais wrth Mam cyn i ni adael, a gwenodd hi'n reit swil arna i. Fydd hi byth yn gwisgo colur fel arfer, dim ond i fynd i'r gwaith ac ar yr achlysuron prin pan fydd yn mynd am noson allan efo'i ffrindiau.

Roedd Peniel tua awr i ffwrdd, ac roedd eu cae nhw gymaint yn well na'n cae ni yn y dref. Roedd y clwb pêl-droed ar agor ac yn gwneud bwyd – bwyd go iawn, dim cŵn poeth a byrgyrs – ac roedd 'na stands go iawn i bobol sefyll ynddyn nhw i wylio. Safodd Mam a Mati a finnau wrth y cae yn aros i'r gêm gychwyn, oedd yn deimlad rhyfedd achos doedd neb yn gwybod pwy oedden ni, ac roedd pawb yn syllu am fod 'na bobol ddieithr wedi dod. Ond ar ôl tipyn mi wnaeth rheolwr tîm Peniel weithio allan mai ni oedd teulu'r chwaraewr canol cae newydd ac mi ddaeth o draw i sgwrsio efo Mam a gwneud rhyw fân siarad efo Mati a fi.

Ro'n i wedi bod yn gwylio Dad yn chwarae pêl-droed y rhan fwyaf o benwythnosau ers ro'n i'n cofio, felly do'n i ddim yn disgwyl iddo fo fod yn ddim gwahanol, jyst am ei fod o'n chwarae i dîm arall. Ond roedd 'na ryw newid ynddo fo'r diwrnod hwnnw. Roedd o'n chwim ac yn heini, byth yn blino, wastad yn edrych o'i gwmpas i weld beth oedd gweddill y tîm yn ei wneud. Ac ar ddiwedd yr hanner cynta, efo munudau i fynd, cafodd Dad reolaeth o'r bêl a symud ar draws y cae yn union fel ro'n i wedi gweld Aaron Ramsey yn ei wneud. Saethodd, a sgoriodd, ac aeth cefnogwyr Peniel – ac roedd 'na nifer ohonyn nhw – yn wyllt. Roedd pawb wrth eu boddau.

Roedd y dathliadau ar ôl y gêm yn wych. Dim byd mawr – doedd hi ddim yn gêm bwysig. Ond ro'n i'n teimlo rhyw deimlad newydd sbon, teimlad oedd fel rhywbeth yn chwyddo y tu mewn i mi. Roedd y teimlad yn tyfu wrth i mi glywed pobol yn y dorf yn sôn am Dad, heb wybod ein bod ni'n deulu iddo fo, ac roedd pawb yn dweud pethau clên. "Good signing, that Owens, he's like lightning" a "Dwi 'di gweld lot gwaeth ar gaea'r Premier League!" Gwelais Mam yn gwenu wrthi hi ei hun wrth glywed hyn. Roedd hi'n edrych yn wirioneddol falch. Dwi wedi ei gweld hi'n gwneud y wyneb yna o'r blaen, ond dim ond i fi neu Mati. Roedd o'n beth braf ei gweld hi mor falch o Dad.

Cafodd Mam a Mati a finnau ginio yn y clwb efo'r chwaraewyr i gyd a'u teuluoedd. Dim ond brechdanau a tsips, ond roedd o'n teimlo fel parti bach. Roedd pawb yn ofnadwy o glên efo Dad, a'r dynion i gyd yn siarad amdano fel petai o'n bêl-droediwr anhygoel. Eisteddodd pawb o gwmpas yn trafod manylion y gêm ac roedd yr hyfforddwr yn sôn am y pethau wnaeth y tîm yn dda a'r pethau oedd ddim wedi gweithio cystal.

Ro'n i wrth fy modd.

Tybed, meddyliais, ai fel hyn oedd hi ar ôl gemau mawrion? Tybed oedd Aaron Ramsey yn eistedd efo'i gyd-chwaraewyr yn cael bwyd ar ôl gêm, yn trafod y goliau a'r amddiffyn a beth oedd angen gweithio arnyn nhw cyn y gêm nesaf?

Er fod gen i lawer o ffrindiau yn yr ysgol, dwi'n eithaf swil mewn gwirionedd, ac ro'n i'n teimlo braidd yn chwithig wrth weld plant y chwaraewyr eraill. Roedd hi'n amlwg fod pawb arall yn nabod ei gilydd ers talwm, achos roedden nhw i gyd yn eistedd efo'i gilydd ac yn chwerthin. Roedd Mati wedi gwneud ffrindiau newydd o fewn pum munud, ond arhosais i efo Mam.

"Pam na ei di i siarad efo'r criw 'na?" gofynnodd Mam, gan nodio draw at griw o hogiau a genod tua'r un oed â fi. "Mae'n well na sbio ar dy ffôn, dydy?"

Ond fedrwn i ddim. Mae mor anodd mynd i siarad efo criw o bobol nad ydych chi'n eu nabod.

Digwydd bod, o fewn deng munud i Mam ddweud hynny, mi ddaeth 'na hogyn draw ata i a dweud, "'Dan ni'n mynd allan i chwara ffwti. Ti ffansi?"

Wnaethon ni ddim aros am hir, ond roedd o'n ddigon o amser i fi ddod i nabod y criw, a chwarae gêm bêl-droed, a theimlo'r hapusrwydd yna sy'n dod o nabod pobol newydd. Ro'n i wrth fy modd. Byddai pob wythnos yn gallu bod fel hyn! Byddwn yn dod i wylio Dad yn chwarae gêm a wedyn yn gallu gweld fy ffrindiau newydd. Ac efallai, os o'n i'n teimlo'n ddigon dewr, y byddwn i'n magu'r plwc un diwrnod i ofyn i Emma, merch y gôl-geidwad, ddod allan i'r sinema efo fi, a…

Pan ddaeth Mam allan i ddweud ei bod hi'n bryd i ni fynd adref, ro'n i ar ben fy nigon.

"Dwi a Mati'n mynd adref rŵan, Sam. Ond gei di aros os wyt ti isio, a chael lifft efo Dad mewn ryw hanner awr…"

"Na, ma'n iawn. Ddo' i efo chi." Ro'n i wedi blino braidd, a doedd hynny'n helpu dim ar fy sgiliau pêl-droed. Roedd hi'n gallach i mi adael cyn i fy ffrindiau newydd sylweddoli 'mod i ddim yn dda iawn am chwarae pêl-droed.

Roedd Mam a Mati a minnau yn hapus wrth yrru'n ôl adref, achos roedd y tri ohonon ni wedi gwneud ffrindiau newydd yn y clwb. Mi adawais i Mati eistedd yn y sedd flaen, er mai 'nhro i oedd hi mewn gwirionedd, a throdd Mam y radio i fyny'n uchel ac agor y ffenestri.

Danfonais neges at Mo:

Gêm 1af Dad i Beniel wedi mynd yn bril.

Gret! Deud wrtho fo mod i'n deud llongyfarchiadau.
Ffwti fory? :-)

Roedd popeth yn berffaith.

Dwi wedi sylwi ar rywbeth rhyfedd. Pryd bynnag
mae pethau'n berffaith, yn hollol berffaith, mae
hynny'n arwydd pendant fod rhywbeth ofnadwy'n
sicr o ddigwydd.

Roedd popeth yn normal ar ôl mynd adref.
Normal, a hapus. Dechreuodd Mam wneud cyri
– hoff fwyd Dad – ac agorodd y drws i'r ardd gefn,
agor potel o gwrw ac eistedd ar garreg y drws
heb ddim byd am ei thraed yn sipian o'r botel.
Edrychai fel petai hi'n wirioneddol fodlon. Roedd
hi wedi gosod y bwrdd bach yn yr ardd yn barod
ar gyfer swper, y tro cynta eleni i ni gael swper y tu
allan. Roedd y bwrdd yn fudr braidd, ond roedd
Mam wedi ei wneud o'n dlws efo cwpwl o flodau
gwylltion mewn hen botel laeth a chanhwyllau
lemwn i gadw'r pryfaid draw.

Aeth Mati i'r ardd drws nesaf i chwarae ar
y trampolîn efo Leia a Hanna, ein cymdogion.

Gallwn ei chlywed hi'n gweiddi chwerthin dros y lle wrth i mi orwedd ar fy ngwely yn edrych ar goliau Aaron Ramsey ar y we – yr union rai o'n i wedi gwylio efo Dad yn ddiweddar. Ro'n i'n hoffi meddwl 'mod i wedi chwarae rhan fach yn y gôl sgoriodd o yn ei gêm gynta i Beniel. Roedd o'n sicr wedi gwneud symudiad tebyg iawn i Aaron Ramsey ar y cae yna.

Edrychais i fyny ar y posteri ar fy wal. Roedd y pêl-droedwyr i gyd yn gwenu, fel tasan nhw wedi bod yna i weld Dad yn sgorio'i gôl.

Aeth awr heibio. Mi es i lawr y grisiau i ofyn i Mam a oedd swper yn barod, ond roedd hi'n dweud ei bod hi am aros am Dad.

"Fydd o ddim yn hir, gei di weld. Ti'n gwbod fel mae o! Mi fydd o wedi aros yn hir i sgwrsio efo'r tîm."

Ond wedyn aeth awr arall heibio, ac un arall. Mi ddechreuodd hi dywyllu, a rhoddodd Mam swper i Mati a minnau. Ceisiodd ffonio Dad, ond doedd o ddim yn ateb.

Roedd hyn i gyd yn dechrau teimlo'n gyfarwydd iawn.

"Dach chi ddim wedi ffraeo eto, dach chi?" gofynnais wrth Mam ar ôl i Mati setlo, er 'mod i'n gwybod mewn gwirionedd nad oedden nhw. Ro'n i wedi gweld Dad yn rhoi sws fawr i Mam – snog a dweud y gwir, a wnaeth i mi wrido – cyn i ni adael y clwb pêl-droed. Roedd o wedi bod yn hapus. Roedd y ddau wedi bod yn hapus.

"Naddo, siŵr! Er, fydda i ddim yn hapus efo fo pan ddaw o adra chwaith… Mae'r cyri 'ma 'di bod yn barod ers oriau."

"Ti 'di trio'i ffonio fo?"

"Mae o'n mynd yn syth i'r peiriant ateb. Dim batri, mae'n siŵr." Ysgydwodd Mam ei phen. "Dim ots. Wedi cyffroi mae o, yndê, ar ôl ei gêm. Hei, Sam, helpa fi i gael y llestri a'r canhwyllau i mewn o'r tu allan, wnei di?"

Roedd yr awyr yr un glas tywyll â fy ngwisg ysgol wrth i Mam a minnau hel y platiau a'r cyllyll a'r ffyrc o'r bwrdd y tu allan. Roedd rhuban o binc yn dal ar y gorwel, yr haul newydd fachlud a'r sêr yn dechrau ymddangos.

"Swper allan! Braf!" Roedd Divya a Henry wedi bod am dro, ac yn dychwelyd ar hyd y llwybr bach oedd yn rhedeg y tu ôl i'r gerddi cefn. "Hei? Sut aeth y gêm?"

"Na'th Dad sgorio!" dywedais, a gwenodd Divya'n llydan.

"Reit dda! Dathlu dach chi felly! Roedden ni wedi meddwl mynd i'r pictiwrs yn Llandudno heno, ond do'n i ddim yn ffansi'r traffig, dim efo'r ffordd wedi cau…"

"Ydy hi?" gofynnodd Mam, gan godi'r gwydrau. "Roedd hi'n glir pan ddaethon ni adra o Beniel."

"Damwain, tua dwy awr yn ôl," meddai Divya. "Gobeithio bod pawb yn iawn, yndê?"

Arafodd amser wrth i'r peirianwaith yn fy meddwl ddechrau gweithio.

Roedd Dad yn hwyr…

Doedd o ddim wedi ffonio…

Mi fyddai o wedi teithio adref ar yr union lôn yna…

Troais i edrych ar Mam, fy nhu mewn wedi rhewi. A dyna pryd welais i'r goleuni rhyfedd ar ei hwyneb. Adlewyrchiad o fflachiadau glas.

"O na," meddai Mam, a llithrodd y gwydrau o'i dwylo a thorri'n deilchion ar y patio.

Troais i weld y car heddlu yn agosáu ac yn parcio tu allan i'n tŷ ni.

6

D OEDD DAD DDIM wedi marw.

"Mae o wedi bod yn lwcus," meddai'r meddyg yn Ysbyty Gwynedd, pan oedd o'n ddigon da i Mati a fi gael mynd i'w weld o. "Mi fyddai pethau wedi gallu bod gymaint gwaeth."

Ond doedd o ddim yn teimlo'n lwcus i fi, ac o weld wyneb Dad wrth iddo orwedd yn y gwely yn yr ysbyty, doedd yntau ddim yn teimlo'n lwcus iawn chwaith.

Dyma ddigwyddodd y prynhawn hwnnw:

Arhosodd Dad yn y clwb pêl-droed ychydig yn hirach na'r bwriad, am ei fod o'n sgwrsio efo'i ffrindiau newydd. Wedyn, ar y ffordd adref, stopiodd i brynu byrgyr a pop mewn lle gyrru-drwodd ar y briffordd. Roedd o'n gwybod bod Mam yn coginio iddo, ond roedd o'n meddwl y gallai stumogi dau swper ar ôl y gêm.

Roedd o'n teimlo'n grêt.

Doedd dim bai ar Dad. Roedd o'n gyrru ar hyd y brif ffordd, yr A55, yn y lôn gyflym, ond doedd o ddim yn mynd yn rhy gyflym. Roedd o wrthi'n pasio car bach piws pan ddigwyddodd o.

Doedd gan Dad ddim syniad ar y pryd, ond roedd dynes ifanc yn gyrru'r car bach piws ar ei ffordd adref o'i gwaith, ac roedd hi'n gwrando ar y radio. Roedd yr orsaf radio wedi bod yn chwarae'r math o ganeuon roedd hi'n licio, ond roedden nhw newydd ddechrau adrodd ar ganlyniadau pêl-droed y prynhawn hwnnw. Doedd hi ddim yn licio pêl-droed, felly trodd ei llygaid at y botymau ar stereo'r car er mwyn newid yr orsaf.

Dim ond am eiliad wnaeth hi edrych i ffwrdd, ond roedd eiliad yn ddigon. Gwyrodd ei char i'r lôn roedd Dad ynddi, a chyn iddo gael cyfle i wneud dim am y peth, roedd ei char hi wedi taro'i gar o.

Rholiodd car Dad dair gwaith, cyn glanio ben i waered yng nghanol y lôn. Roedd o'n anymwybodol, felly'n cofio dim o hyn, ond mi ddaeth yr ambiwlans i'w nôl o, a bu'n rhaid cael yr injan dân i'w dorri allan o'r car. Rhywsut, doedd y ddynes yn y car arall ddim wedi cael 'run anaf, dim hyd yn oed crafiad ar ei chroen, ond mae'n siŵr ei fod o'n anodd iddi hi, yn gorfod gweld Dad wedi ei anafu mor ddrwg.

Pan aeth Dad i'r ysbyty, doedd neb yn siŵr pa

mor ddifrifol oedd ei anafiadau. Roedd y meddygon yn meddwl efallai ei fod o wedi taro'i ben, neu fod anafiadau y tu mewn iddo nad oedd unrhyw un yn gallu eu gweld o'r tu allan. Roedd ganddo lygad ddu, ac roedd o wedi torri ei fraich chwith. Ond ei goes chwith oedd wedi brifo waethaf.

Pan fydd rhywun wedi cael damwain mor ofnadwy, dydy torri esgyrn coes ddim yn swnio mor ddrwg â hynny. Byddai pethau wedi gallu bod gymaint yn waeth. Ond roedd coes Dad yn deilchion, ac os byddai hi'n mendio o gwbl, byddai'n cymryd blynyddoedd.

Roedd hynny'n gwneud i mi feddwl am y gwydrau ollyngodd Mam ar lawr pan ddaeth yr heddlu i'r tŷ.

"Pa mor hir fydd o'n cymryd i wella?" gofynnais i yn yr ysbyty'r tro cynta i mi weld Dad ar ôl y ddamwain, pan oedd y meddyg caredig yn sgwrsio â Mati a Mam a minnau. "Chwech wythnos gymerodd o i fi pan dorrais i 'mraich."

"Wel, dwi'n meddwl mai ryw chwech wythnos fydd hi'n cymryd i fraich dy dad wella hefyd," esboniodd y meddyg. "Achos fod y toriad yn un eitha glân, mi fydd ei gadw yn ei le efo plastar yn gwneud byd o wahaniaeth."

"Ond be am y goes?" meddai Mati. "Mae Dad yn chwarae pêl-droed i Beniel."

Trodd Dad i ffwrdd wedyn. Dwi ddim yn meddwl ei fod o eisiau meddwl am hynny.

"Wel, mae'r goes yn fwy cymhleth," atebodd y meddyg, a diflannodd y wên o'i hwyneb. "Mae hi wedi torri mewn sawl lle, yn ddarnau eitha mân. Ac mae'r ffêr wedi torri'n sawl darn hefyd. Bydd eich tad angen llawdriniaeth. Sawl un, falla."

"Mae o'n lwcus i fod yn fyw!" meddai Mam efo gwên fawr. "Mae Dad yn mynd i fod yn iawn, dyna sy'n bwysig."

Ond mi edrychais i ar Dad bryd hynny, a doedd o ddim yn edrych yn iawn. Syllai drwy'r ffenest ar y mynyddoedd yn y pellter ac roedd ei wyneb, oedd yn grafiadau ar ôl y ddamwain a'r lygad ddu wedi chwyddo i gyd, yn edrych yn gwbl ddigalon.

Pan fydd pethau ofnadwy'n digwydd, mae rhywun yn gofyn, "Be os…?" o hyd. Ac mi wnes i ofyn sawl "Be os…?" i mi fy hun am yr hyn ddigwyddodd i Dad.

Be os fyddai Dad wedi gadael i ddod adref ar yr adeg roedd o i fod i wneud? Fyddai o ddim wedi bod ar y lôn yr un adeg â'r ddynes yn y car piws wedyn.

Be os fyddai o ddim wedi stopio i gael byrgyr? Fyddai o wedi bod adref yn gynt.

Be os fyddwn i wedi penderfynu aros efo fo yn y clwb yn lle dod adref efo Mam a Mati? A fyddai hi wedi bod yn wahanol wedyn?

Be os fyddwn i ddim wedi dangos yr holl fideos 'na o Aaron Ramsey iddo fo? Efallai na fydda fo wedi trio gwneud y symudiad yna ar y cae pêl-droed, a heb sgorio gôl, a wedyn fyddai o ddim wedi bod mewn gymaint o hwyliau dathlu ac mi fyddai wedi dod adref yn gynt…

Ro'n i'n gwybod fod meddwl fel hyn yn ddibwynt. Fedrai neb newid yr hyn oedd wedi digwydd. Felly ddywedais i ddim wrth neb 'mod i'n teimlo'n euog am yr hyn ddigwyddodd i Dad, ond ro'n i'n meddwl am y peth yn aml.

O hyd, a dweud y gwir.

Ro'n i wedi rhoi enw i'r teimlad ro'n i'n ei gael pan o'n i'n poeni. Ro'n i wastad wedi bod yn boenwr, ac roedd y pryderon fel haid o wenyn swnllyd a phrysur yn fy mhen. Ond ar ôl damwain

Dad, ro'n i'n cael y teimlad o hyd. Doedd o ddim yn digwydd yn y nos yn unig, chwaith, ond pan o'n i yn yr ysgol, neu'n cerdded adref efo Mo, neu hyd yn oed pan o'n i'n gwylio goliau Rambo ar y we. Y Peth Ofnadwy ro'n i'n ei alw fo, ond dim ond i mi fy hun, achos do'n i ddim yn siŵr oedd teimlo fel hyn yn beth normal mewn gwirionedd, a do'n i ddim am i neb boeni amdana i. A ph'run bynnag, doedd dim a allai unrhyw un ei wneud am Y Peth Ofnadwy. Ond roedd o wedi dechrau teimlo fel mwy na poeni.

Cafodd Dad dair llawdriniaeth ar ei goes cyn dod adref o'r ysbyty. Roedd bron i ddeufis wedi mynd heibio ac roedd y gwanwyn yn troi'n haf.

Dydd Gwener oedd hi, ac roedd Mam wedi trefnu fod Divya, Henry a Mo yn dod draw i gael swper yn yr ardd. Roedd Divya a Mo yn dilyn Ramadan – Mwslemiaid oedden nhw, a doedden nhw ddim yn bwyta nac yn yfed yn ystod oriau golau dydd am fis cyfan. Ond roedd hynny'n iawn – roedden nhw'n cael bwyta ar ôl y machlud.

Roedd Mam wedi mynd i drafferth, chwarae teg iddi. Roedd y tŷ fel pin mewn papur, a phopeth yn barod ar gyfer Dad, oedd yn cerdded ar faglau. Ond pan ddaeth o adref ganol y prynhawn, doedd o ddim fel petai o'n gallu gweld mor hyfryd oedd bob man yn edrych.

Efallai ei fod o wedi blino.

Hyd yn oed yn y nos, pan ddaeth teulu Mo draw am swper hwyr, doedd Dad ddim yn fo ei hun. Roedd o'n glên iawn, ac yn gwenu ar bawb ac yn sgwrsio pan oedd rhywun yn gofyn cwestiwn iddo, ond roedd o'n dawel iawn ar yr un pryd. Ac roedd rhywbeth am y ffordd roedd o'n gwenu ac yn chwerthin oedd yn gwneud i mi deimlo fel petai o'n smalio.

7

PAN OEDD DAD ar ei waethaf, dyna'r cyfnod dechreuais i feddwl am Aaron Ramsey o hyd.

Dwn i ddim os dach chi'n debyg i fi yn y ffordd yna.

Dwi'n cael obsesiynau am bethau hefyd, fel Mati. Yn gwirioni, ac eisiau gwybod popeth sydd yna i'w wybod am y peth, neu'r person, neu'r digwyddiad. Mae Mam yn dweud 'mod i wedi bod fel hyn erioed. Weithiau, pan 'dan ni'n gweld rhywbeth sy'n ei hatgoffa hi o'r pethau yma, mae ei hwyneb hi'n newid ychydig bach, fel petai hi'n cofio rhywbeth, ac yn hiraethu amdano – Tomos y Tanc, neu Moshi Monsters, neu Harry Potter.

"Roeddat ti 'di gwirioni efo Tomos," fyddai Mam yn ei ddweud wrth weld teganau bach Tomos y Tanc mewn siop, a byddwn i'n gwenu ac yn hanner cofio, ond ddim rhyw lawer. A byddai Mam yn dallt, dwi'n meddwl, 'mod i'n dal yn mynd yn obsesiynol am bethau, ond mai timau pêl-droed oedd y rheiny, neu bêl-droedwyr.

Dwi'n meddwl 'mod i wedi bod yn trio anghofio beth oedd wedi digwydd i Dad.

Pan o'n i'n dod adref o'r ysgol, ac yn ei weld o'n dal yn yr union le ag oedd o pan adawais i'r bore hwnnw, ro'n i'n meddwl am y ffordd roedd Rambo wedi chwarae yn erbyn Palma Calcio, heb golli mymryn o egni na chyflymder.

Pan oedden ni'n bwyta swper, a phawb o gwmpas y bwrdd fel oedden ni wedi bod bob amser swper ers o'n i'n cofio, a Dad yn gwrthod codi o'r soffa am ei fod o'n gwylio'r teledu, ro'n i'n meddwl am y ffordd y sgoriodd Rambo'i gôl yn erbyn Fulham yn nhymor 2018/19 oedd yn edrych fel petai o wedi sgorio â'i gefn at y gôl.

A phan ddaeth rheolwr tîm Peniel draw i weld sut oedd Dad un prynhawn Sul glawog, efo bocs o gwrw a set focs o DVDs a cherdyn wedi ei arwyddo gan y tîm i gyd, dechreuais sylweddoli'n iawn am y tro cynta na fyddai Dad byth yn cael chwarae pêl-droed i dîm tebyg eto…

Efallai 'mod i'n hunanol, ond ro'n i'n ddigalon na fyddwn i'n cael bod yn rhan o griw ffrindiau plant chwaraewyr Peniel chwaith. Yn yr ysgol, do'n i ddim yn cŵl, ddim yn un o'r plant poblogaidd. Ro'n i jyst yn y canol, yn debyg i'r rhan fwyaf o hogiau eraill. Ond byddai dod i nabod criw Peniel wedi galluogi i mi ddechrau eto, a dewis yn union pwy o'n i am fod. Fyddai dim o hynny'n digwydd rŵan. Chawn i byth y cyfle i ddod i nabod Emma, merch y gôl-geidwad, yn well, a fyddwn i ddim yn gallu gwneud criw newydd sbon o ffrindiau. Yn y tawelwch lenwodd tŷ ni ar ôl iddo fo adael, eisteddais i fyny'r grisiau yn gwylio fideo o'r bwa hyfryd wnaeth Rambo efo'r bêl wrth iddo sgorio gôl i Juventus yn erbyn SPAL. Mi wisgais i'r clustffonau, achos ro'n i'n meddwl y byddai braidd yn angharedig i orfodi Dad i glywed sŵn pêl-droed pan oedd ei freuddwydion o fod yn bêl-droediwr wedi chwalu 'run pryd â'r esgyrn yn ei draed.

Dwi wedi sylwi rhywbeth am dristwch.

Dach chi'n gwybod y ffordd mae salwch yn mynd o un person i'r llall mewn teulu? Os oes un yn cael annwyd, mae'r gweddill yn sicr o'i gael o hefyd, neu ffliw, neu ryw hen fyg stumog. Mae pawb yn gwybod bod hynny'n digwydd. Pan dach chi'n agos at rywun, mae salwch yn mynd o un person i'r llall.

Wel, fel'na mae tristwch hefyd. Dim ond un person trist sydd ei angen ac mae'n effeithio ar bawb. Cyn pen dim, nid dim ond Dad oedd yn ddigalon ac yn dawel, ond pawb yn tŷ ni, hyd yn oed Mati. Roedd hi wedi bod yn ferch fach ddigon swnllyd ers oedd hi'n fabi, yn swnian neu'n sgwrsio neu'n chwerthin neu'n canu o hyd. Ac un diwrnod, ryw dair wythnos ar ôl i Dad ddod adref o'r ysbyty, mi sylwais fod Mati'n chwarae'n dawel, a sylweddoli 'mod i heb ei chlywed hi'n siarad efo'i dolis na'i thedis bach ers talwm.

Ond ar Mam roedd pethau waethaf yn y cyfnod yna, dwi'n meddwl, achos roedd hi'n trio mor galed. Yn gwenu'n ffals ac yn trio gwneud sgwrs efo ni i gyd, ond prin yn cael brawddeg o ateb gan neb am unrhyw beth. Ro'n innau'n trio weithiau hefyd, ond dwi'n meddwl fod Mam a minnau'n dallt ein gilydd yn ddigon da i wybod mai dim ond smalio oedd y ddau ohonon ni, yn trio gorfodi'n hunain i fod yn siriol. O leia ro'n i a Mati'n cael dianc i'n llofftydd neu fynd allan i chwarae efo ffrindiau. Mam oedd yn gorfod coginio bwyd a thacluso a golchi dillad a gwneud yn siŵr fod pawb yn iawn, hyd yn oed pan oedd neb yn iawn.

Un noson, pan o'n i wedi mynd i 'ngwely ond wedi codi i nôl diod o ddŵr, mi ddois i lawr y grisiau. Gan 'mod i yn nhraed fy sanau, wnaeth hi mo 'nghlywed i'n dod, a wnaeth hi mo 'ngweld i chwaith. Roedd hi'n paratoi bocsys bwyd i Mati a minnau ar gyfer y diwrnod canlynol, yn pwyso dros y bwrdd efo bara a menyn a ham a chiwcymbyr. Roedd ganddi gyllell fenyn yn un llaw a'r bocs marjarîn yn y llall, ac roedd hi'n taenu menyn ar bedair tafell, ond rhewais pan welais ei hwyneb hi.

Roedd hi'n crio.

Do'n i ddim wedi gweld Mam yn crio o'r blaen. Dim hyd yn oed pan wnaeth Nain Pat farw, dim hyd yn oed yn yr angladd, dim hyd yn oed pan gafodd Dad ei ddamwain a phan ddaeth yr heddlu at ddrws ein tŷ ni'r noson honno. A do'n i ddim wedi gweld unrhyw un yn crio fel hyn chwaith. Roedd hi'n edrych yn normal. Doedd ei hwyneb hi ddim wedi crychu o gwbl, a doedd hi ddim yn gwneud y sŵn truenus fydd pobol yn ei wneud pan maen nhw'n crio. Ond roedd dagrau'n powlio i lawr ei gruddiau, a snot yn disgleirio dan ei thrwyn.

Sychodd Mam y dagrau â chefn ei llawes, a chario ymlaen i wneud y brechdanau. Gallwn weld Dad â'i chefn ati, yn eistedd ar y soffa yn gwylio ffilm. Troais fy nghefn a'i heglu hi yn ôl i fyny'r grisiau. Efallai y dyliwn i fod wedi mynd ati, rhoi fy mreichiau amdani a gwneud yn siŵr ei bod hi'n iawn, ond wnes i ddim. Do'n i ddim eisiau i ni orfod siarad am ba mor drist oedd ein teulu ni.

Bob nos, byddwn yn gorwedd yn effro yn fy ngwely, ac yn clywed sŵn y teledu i lawr y grisiau, a sŵn y ceir ar Ffordd Caernarfon yn gwibio i gyfeiriad y Tesco mawr, a weithiau sŵn y gwynt neu'r glaw neu rywun pell, pell i ffwrdd yn chwerthin. Ond do'n i byth yn clywed y sŵn ro'n i am ei glywed, sef lleisiau Mam a Dad i lawr y grisiau. Doedd y ddau prin yn torri gair efo'i gilydd. Weithiau, byddai Mam yn trio: "Ti isio panad?" neu "Ti'n iawn?" ond doedd gan Dad byth fawr o ateb. Doedd o prin yn siarad efo neb y dyddiau hyn, heblaw os oedd rhywun yn gofyn rhywbeth iddo'n uniongyrchol.

Y nos ydy'r amser gwaethaf, yndê?

Amser poeni. Reit ar ddiwedd noson, ar ôl diffodd y golau a rhoi'r ffôn i un ochr, yr amser dach chi i fod yn cysgu ond dach chi'n methu. Dyna pryd mae pob un dim dach chi'n poeni amdano'n dod yn fyw eto yn eich meddwl, ac yn teimlo ganwaith gwaeth nag y mae o yng ngolau dydd. Mae hi mor anodd cysgu. Dyna pryd roedd Y Peth Ofnadwy ar ei waethaf. Do'n i ddim mor ddrwg ag o'r blaen, ond roedd o'n dod bob nos, ac ro'n i'n dechrau teimlo'n nerfus cyn mynd i 'ngwely, achos ro'n i'n gwybod bod yr holl feddyliau prysur, swnllyd, hyll am lenwi fy mhen eto, a gwneud i mi boeni nes oedd gen i boen yn fy mol.

Ro'n i wedi hen arfer â phoeni, yn ôl yn y dyddiau pan o'n i'n gwrando ar Mam a Dad yn ffraeo yn y nos. Bellach, doedd dim ffraeo, ond roedd hynny'n teimlo gymaint yn waeth. Do'n i ddim hyd yn oed yn siŵr am beth o'n i'n poeni, dim ond ei fod o'n rhywbeth mawr ac ofnadwy.

Oedd Mam a Dad yn mynd i wahanu?

Oedd Dad yn mynd i fod fel hyn am byth?

Oedd o ddim yn licio'i fywyd rhagor, am ei fod o mewn poen, yn methu gweithio a methu chwarae pêl-droed?

Oedd o ddim yn licio *fi* rŵan?

Unwaith ro'n i'n dechrau meddwl am y pethau yma, roedd popeth yn dechrau teimlo'n drwm ac yn wag ar yr un pryd. Felly mi wnes i'r un peth ag o'n i wastad yn ei wneud pan oedd fy meddwl i'n troi at bethau tywyll amser gwely.

Meddyliais am bêl-droed.

Tîm Cymru, yn ailchwarae gemau yn fy meddwl fel petai gen i YouTube personol yn fy mhen. Efo gemau mwy pwysig Cymru – nid y rhai cyfeillgar, dim ond y rhai oedd yn cyfri tuag at dwrnament neu bencampwriaeth – byddwn yn eu gwylio dro ar ôl tro, yn trio cofio manylion pob gôl a phob arbediad a phob *foul* a chamsefyll er mwyn i mi allu eu chwarae yn fy mhen ar adegau fel hyn. Bob tro ro'n i'n dechrau poeni am Dad, byddwn i'n gorfodi fy meddwl yn ôl at bêl-droed, yn chwarae gemau cyfan yn fy mhen nes 'mod i'n syrthio i gysgu.

Weithiau, ro'n i'n meddwl am Rambo.

Be oedd o'n ei wneud rŵan?

Oedd o yn y gampfa, yn rhedeg ar beiriant rhedeg ac yn gwrando ar ei hoff gerddoriaeth?

Oedd o'n gwylio rhywbeth ar y teledu? Neu'n cael rhywbeth i'w fwyta?

Oedd o'n tecstio bois o'r tîm, un ai tîm Cymru neu Juventus neu hyd yn oed rhai o'r timau roedd o'n chwarae iddyn nhw ers talwm?

Weithiau, rhwng cwsg ac effro, byddai fy meddwl yn drysu dipyn bach, a byddwn yn meddwl efallai mai Dad oedd yn gwenu arna i o'r poster uwchben fy ngwely, ac Aaron Ramsey yn eistedd ar y soffa i lawr y grisiau, yn gwylio sothach ac yn edrych ymlaen at ei gêm bêl-droed nesaf.

"Ydy dy dad adref?"

Bore Sadwrn oedd hi, ac roedd Divya wrth y drws cefn yn ei dillad rhedeg, yn amlwg yn barod i fynd allan am jog. Roedd hi'n cario bag ar ei chefn, achos bob bore Sadwrn byddai'n gorffen ei jog efo sesiwn siopa brecwast yn y caffi Ffrengig i fyny'r lôn ac yn prynu *croissants* a *pain au chocolat*. Ro'n i'n dal yn fy mhyjamas, a dwi'n sicr fod Mo'n dal yn ei wely. Welais i rioed neb fel Mo am gysgu'n hwyr ar benwythnosau.

"Ydy," meddwn yn dawel, a dwi'n meddwl fod Divya wedi sylwi ar yr olwg ar fy wyneb.

"Sori," gwenodd arna i. "Cwestiwn gwirion. Wrth gwrs ei fod o! Lle arall mae o am fod, a fynta'n methu cerdded?"

Ymddangosodd Mam y tu ôl i mi.

"Divya! Panad?"

"Diolch, Llinos, ond fiw i mi ista i lawr, neu ista fydda i. Sgin i ddim math o fod isio rhedeg, cofia, ond mae'n well i mi neud."

"Galw ar y ffor' yn ôl os lici di," meddai Mam. "'Dan ni'm yn mynd i nunlla."

"Wedi dod i weld Huw ydw i, a deud y gwir," meddai Divya. "Mae gen i rywbeth iddo fo."

Crychodd Mam ei thalcen rhyw fymryn, yn

amlwg yn chwilfrydig, ond amneidiodd ar Divya i ddod i mewn.

Roedd Dad yn eistedd ar y soffa, wrth gwrs, yn pigo ar frechdan gig moch roedd Mam wedi ei gwneud iddo. Roedd golwg druenus arno, a'i droed mewn plastar a'i groen yn welw. Edrychodd i fyny ar Divya efo gwên fach dynn.

"Alright, Divya?"

"Iawn. Ti? Ti mewn poen?"

"Na, ma'n iawn. I've got tablets for the pain."

"A be ydy'r cam nesa 'ta?"

"Aros i fendio," meddai Mam mewn llais bach. "A sesiynau yn y sbyty i drio cryfhau'r droed."

Mae gan Divya ffordd o siarad sy'n anarferol rywsut. Mae'n anodd i'w ddisgrifio, ond dydy hi ddim yn poeni rhyw lawer am beth mae pobol yn feddwl, a dydy hi ddim yn medru cuddio'r ffordd mae hi'n teimlo chwaith. A beth oedd yn rhyfedd am Divya'r diwrnod hwnnw oedd bod Dad fel petai'n mynd ar ei nerfau hi.

"Dwi heb weld ti'n mynd allan o gwbl," meddai Divya wedyn, a gwelais Mam yn edrych fymryn bach yn anghyffyrddus, fel petai hithau wedi sylweddoli fod Divya'n swnio braidd yn anniddig.

"It's hard. I can't walk," atebodd Dad, fymryn yn galed.

"Dwi 'di cynnig mynd â fo yn y car," esboniodd Mam. "Ond dydy o ddim isio mynd."

"I don't want to be looking through the car window at all the things I'm missing." Trodd Dad i ffwrdd, ac i fod yn deg, roedd gen i fymryn o bechod drosto. Dwi ddim yn siŵr fyddwn i chwaith wedi bod â fawr o awch i grwydro yn ei le fo.

"Wel, mi gei di ddefnyddio dy amser yn ddoeth felly." Ymestynnodd Divya i'w bag a thaflodd lyfr ar y soffa yn ymyl Dad: *Welsh – Build Your Confidence.* "Fy hen lyfr i ydy o, a dwi isio fo'n ôl pan ti 'di gorffen."

"Mae Dad yn dallt Cymraeg yn iawn," esboniais wrth Divya, a finnau'n synnu am 'mod i'n meddwl ei bod hi'n gwybod hynny'n barod. "Mond bod o ddim yn siarad lot…"

"Dwi'n gwbod, Sami. Ond mae hynna'n biti, dydy? Dyma'r cyfle iddo fo gael ychydig o hyder er mwyn gallu defnyddio ei Gymraeg eto."

Edrychais draw at Mam. Roedd hi'n cnoi ei gwefus isaf ac yn edrych ar Dad, yn poeni, dwi'n meddwl, ei fod o'n mynd i wylltio.

Ond wnaeth o ddim. Estynnodd ei law i gyffwrdd â chlawr y llyfr. Roedd llun o ddraig goch arno.

"Mae 'na wersi ar y we hefyd. A fforwm i ddysgwyr gael trafod. Mi fydd o'n help i ti gael dy hyder yn ôl."

"Diolch, Divya," meddai Dad mewn llais bach oedd ddim yn swnio fel fo.

"Dwi am decstio dolen y wefan i ti heno."

Trodd Divya i adael, a rhoi ei bag yn ôl ar ei chefn. Gallwn ddweud yn barod y byddai'r awyrgylch yn rhyfedd ar ôl iddi adael. Roedd o'n teimlo fel petai Dad wedi cael row.

"O! Un peth arall," meddai Divya cyn gadael. "Y gêm. Dwi 'di sortio popeth, ocê?"

"Pa gêm?" gofynnodd Mam, ond wrth gwrs, ro'n i'n gwybod yn iawn am beth oedd hi'n sôn.

Cymru yn erbyn Lloegr, Stadiwm Dinas Caerdydd. Dim ond gêm gyfeillgar, ond ew, ro'n i a Mo wedi edrych ymlaen. Ro'n i wedi treulio blynyddoedd yn gwylio'r tîm ar y teledu ac ar y we, ond mi fyddai eu gweld nhw go iawn, yn y cnawd, yn brofiad hollol wahanol. Ond… fi a Dad a Mo a Divya oedd i fod i fynd, a rŵan roedd Dad wedi cael ei ddamwain. Do'n i ddim wedi gadael i mi fy hun feddwl gormod am y gêm, achos roedd meddwl 'mod i wedi colli fy nghyfle i weld fy arwyr – Aaron Ramsey yn enwedig – yn gwneud i mi deimlo'n ofnadwy.

"Diolch," meddai Dad gyda gwên fach drist. "Gutted we can't go."

Gwenodd Divya'n llydan, fel petai Dad wedi dweud jôc.

"Callia, wir. Awn ni â'r gadair olwyn roddodd y sbyty i ti. Dwi wedi newid y tocynnau fel nad ydan ni'n gorfod defnyddio unrhyw risiau."

Am y tro cynta ers iddi gyrraedd, cododd Dad ei ben i edrych i fyw llygaid Divya.

Daeth 'na deimlad oedd wedi mynd yn deimlad prin i fy nghalon i ac ew, roedd o'n deimlad braf.

Gobaith.

"You're joking," meddai Dad. "The match is in a month!"

"Pump wythnos," cywirodd Divya. "A 'dan ni'n mynd. Dwi wedi sortio popeth."

"O, ti'n glên, Divya," meddai Mam yn frysiog mewn llais meddal. "Ond falla bydda fo'n ormod braidd i Huw, sti. Tydy o ddim wedi bod allan, nac ydy…"

"Mae ganddo fo bump wythnos gyfan i ddod i arfer," atebodd Divya mewn llais di-ffws. "Fi fydd yn gwneud popeth. Y cyfan fydd raid i Huw wneud ydy eistedd mewn car, gwylio gêm bêl-droed ac aros un noson mewn gwesty. Dwi'm yn disgwyl iddo fo redeg marathon."

Roedd y llygedyn bach o obaith yna wedi tyfu'n fwy ac yn fwy wrth i Divya siarad. O, taswn i'n cael mynd i'r gêm… Taswn i'n cael mynd i weld Cymru'n chwarae, byddai gen i rywbeth i gyffroi yn ei gylch o…

"I don't think…" dechreuodd Dad.

"Plis, Dad," torrais ar ei draws cyn i mi gael cyfle i feddwl yn iawn beth o'n i'n ei ddweud. "Dwi *wir* isio mynd."

"Divya can take you without me," meddai Dad yn fflat, gan edrych i lawr ar ei ddwylo.

"Mae'r hogyn isio mynd efo'i dad, Huw," meddai Mam yn dawel, dawel.

Erbyn i Divya adael bum munud yn ddiweddarach, roedd popeth wedi sortio a 'nghalon i bron â byrstio. Roedden ni'n mynd i'r gêm! Byddwn i'n cael gweld fy arwyr, Joe Allen a Gareth Bale a Harry Wilson… Ac, wrth gwrs, Aaron Ramsey!

Doedd gen i ddim syniad sut fyddai pethau'n mynd, na sut stad fyddai ar Dad nac os oedd o'n mynd i fod yn rhyfedd cerdded o gwmpas Caerdydd a'r stadiwm, a Dad mewn cadair olwyn. Efallai y byddai'r holl beth yn ofnadwy o ddigalon iddo. Ond doedd dim pwynt meddwl fel yna. Y peth pwysig oedd ein bod ni'n mynd!

"Pass my crutches, Sam," meddai Dad, ac estynnais y baglau iddo o du ôl i'r soffa.

"Ti'n iawn? Ti isio rwbath?" gofynnodd Mam, oedd wedi arfer bellach gwneud popeth dros Dad, heblaw am fynd â fo i'r tŷ bach.

"I'm going to sit in the garden for a bit," meddai Dad, ac allan â fo i eistedd ar y fainc yn yr haul, ei gopi o *Welsh – Build Your Confidence* yn ei law.

8

O S OEDD BYWYD wedi newid ar ôl damwain Dad, aeth o ddim yn ôl i normal hyd yn oed pan ddechreuodd ei droed o wella rhywfaint. A dweud y gwir, mynd yn fwy od wnaeth pethau, mewn ffyrdd annisgwyl.

Dwi'n meddwl bod gwybod ei fod o'n mynd i'r gêm wedi rhoi'r un gobaith i Dad ag a wnaeth o i mi. Yn syml iawn, roedd gennym rywbeth i edrych ymlaen ato. Dim fod pethau'n sydyn wedi gwella dros nos, ond ein bod ni wedi teimlo ychydig bach, bach yn well, ac roedd hyd yn oed ychydig bach yn ddigon i wneud gwahaniaeth.

Un diwrnod, mi ddois i adref o'r ysgol yn gynt nag arfer, dim llawer cynt, dim ond 'mod i wedi peidio aros i falu awyr a chicio pêl am fod Mo wedi mynd at y deintydd, felly mi ddois yn syth adref. Roedd Mam yn dal yn y gwaith, a Mati yn y clwb ar ôl ysgol. Gadewais fy hun i mewn drwy'r drws cefn, bron â llwgu eisiau bwyd, ac ro'n i ar fin galw helô ar Dad a gwneud brechdan jam i mi fy hun pan glywais ei lais yn y stafell fyw.

"Dwi ddim yn grêt am siarad Cymraeg," meddai, cyn clirio'i lwnc a dweud, "Dwi ddim yn dda iawn am siarad Cymraeg."

Beth yn y byd? Efo pwy roedd o'n siarad? Symudais fymryn bach yn bellach i mewn i'r gegin er mwyn cael ei weld yn well, gan drio aros mor dawel â phosib.

Eisteddai Dad ar y soffa, ei ffôn yn un llaw a'r llyfr Cymraeg yn y llall. Roedd o fel petai'n ymarfer ar gyfer rhywbeth.

"Dwi ddim yn siarad Cymraeg yn dda iawn."

"Wyt, tad," atebais, a neidiodd Dad, wedi cael sioc 'mod i cyrraedd adref.

"You almost scared me to death!" dywedodd, gan godi ei law at ei frest a rhoi gwên fawr o ryddhad i mi. "How was school?"

"Boring. Be ti'n neud?" Rhoddais fy mag i lawr yn y gornel, er 'mod i'n gwybod y byddai Mam yn cwyno ei fod o yn y ffordd pan fyddai'n dod adref.

"This Welsh learning website. I signed up and we've got to do a cyflwyniad. Hei Sam, be ydy *accident* yn Gymraeg? I want to tell them about my foot."

"Damwain," atebais. Rhaid i mi gyfaddef, ro'n i'n synnu fod Dad yn dangos gymaint o ddiddordeb yn y wefan ac mewn siarad Cymraeg. Mae'n rhaid ei fod o wedi rhedeg allan o bethau i'w gwylio ar Netflix.

"So would it be right to say, *Ges i damwain car?*"

Ha! Dwi'n siŵr y byddai gan Mr Griffiths Cymraeg rywbeth i'w ddweud am y ffaith 'mod i, o bawb, yn rhoi cyngor i rywun ar siarad Cymraeg.

"Ges i ddamwain car. Mae o'n treiglo."

Ochneidiodd Dad. "I hate treigladau. I was rubbish at them at school."

"Dydy o ddim wir ots, nadi. Cyn belled â bod pobol yn dallt."

Ond wyddwn i ddim ai hynny oedd y peth iawn i'w ddweud. Dim pethau fel'na roedden nhw'n ei ddweud yn yr ysgol, a phwy o'n i i ddweud beth oedd y ffordd orau i ddysgu iaith?

Ond doedd dim ots am y treigladau a'r holl bethau doedd Dad ddim yn gwybod am y Gymraeg, roedd o'n trio, dyna'r peth pwysig. Weithiau, byddai'n colli calon ac yn rhoi'r gorau i'r cyfan, gan regi a dweud, "It's just too hard!" Ond o fewn diwrnod neu ddau, byddai wedi codi'r llyfr unwaith eto, neu yn ôl yn siarad efo'i ffrindiau ar y wefan. Dywedodd rhywun ar fan'no wrtho mai gwylio teledu Cymraeg oedd y ffordd orau o ddysgu, ac felly yn lle gwylio cyfresi ar Netflix, dechreuodd Dad wylio *Pobol y Cwm* a *Rownd a Rownd*. Roedd Mam, yn dawel bach, yn rhyfeddu. Dim ond ryw bythefnos ar ôl iddo ddechrau gwylio, ro'n i a Mam yn y gegin a Dad a Mati'n gwylio *Rownd a Rownd* ac mi glywon ni Dad yn dweud, "Fedra i ddim dallt fod Ken yn coelio hi!" am ryw gymeriad ar *Rownd a Rownd*. Edrychodd Mam a minnau ar ein gilydd, a thrio peidio chwerthin. Pwy fyddai wedi meddwl y byddai o'n gwirioni gymaint?

Ro'n i'n dal i fynd i chwarae pêl-droed efo'r tîm, wrth gwrs, ond rywsut ro'n i wedi colli'r awch am hynny, yn enwedig gan fod Dad yn aros i ffwrdd o'r gemau. Mi fyddai o wedi gallu dod – roedd gan Mam gar, ac roedd ganddo'r gadair olwyn o'r ysbyty. Ond mae'n siŵr y byddai wedi teimlo'n od iawn iddo fo, cael pobol yn edrych i lawr arno a theimlo bechod drosto. Ro'n i'n dallt. Ac eto, ro'n i'n dal i deimlo'n rhyfedd wrth weld y lle gwag wrth ochr y cae lle roedd Dad yn arfer sefyll.

Ers damwain Dad roedd pawb ar y tîm wedi bod yn annioddefol o neis efo fi. Dwn i ddim dach chi erioed wedi cael rhywbeth tebyg, pan mae rhywbeth drwg yn digwydd i chi ac yn sydyn mae pawb yn eich trin chi'n wahanol? Felly ro'n i'n reit falch un diwrnod pan alwodd Emlyn fi'n "Blincin torth!" ar y cae pêl-droed un prynhawn Sadwrn! O leia doedd pawb ddim yn mynd yn dawel, dawel ac yn gadael i fi chwarae'n wael heb wneud sylw am y peth. Roedd hynny'n brawf fod 'na rai pethau'n dechrau mynd yn ôl i normal.

"Be sy'n bod efo chdi?" gofynnodd Mo wrth i ni giwio yn y becws am sosej rôl ar y ffordd adref ar ôl y gêm. Ro'n i wedi gwneud llanast llwyr o basio'r bêl yn y pum munud olaf, ac wedi rhoi'r meddiant i'w saethwr gorau nhw, a sgoriodd gôl bron yn syth wedyn.

"Be ti'n feddwl?" gofynnais.

"Paid â chymryd hyn y ffordd anghywir 'de, Sam, ond mi fysa rhywun yn meddwl mai chdi chwalodd dy draed mewn damwain car, dim dy dad! Ers y ddamwain, ti'n chwarae fel tasa gen ti jeli yn dy draed, dim esgyrn!"

Awtsh. Doedd o ddim fel Mo i fod mor ddiflewyn ar dafod, ond ro'n i'n ei nabod o'n ddigon da i wybod na fyddai o byth yn dweud rhywbeth fel'na er mwyn bod yn gas. Poeni amdana i oedd o, dwi'n meddwl, a ddim yn siŵr sut i ofyn a o'n i'n iawn.

"O, diolch," meddwn yn bigog. Waeth a oedd Mo'n poeni amdana i ai peidio, roedd o'n dal yn brifo i'w glywed o'n dweud y ffasiwn beth.

"Ti'n gwbod be dwi'n feddwl!" Talodd Mo a finnau am ein sosej rôls, a gadael y siop, yn cerdded yn araf ac yn bwyta ar yr un pryd. "Yli, dwi'n gwbod bod Emlyn wedi bod yn flin heddiw, ond doedd o ddim yn ei feddwl o, sti. Mae'r hogiau i gyd yn dallt."

"Does 'na ddim byd i'w ddallt," atebais yn isel drwy lond ceg o fwyd. "Dim pawb sy'n dda bob amser, naci."

"Na, dwi'n gwbod hynny, siŵr, ond…"

Tawelodd Mo, a dwi'n meddwl nad oedd o'n gwybod yn iawn beth i'w ddweud. Ac er fod gen i gymaint i'w ddweud wrtho fo, gymaint o feddyliau yn fy mhen, gymaint o bethau oedd yn fy mhoeni neu'n fy nghyffroi neu'n cymylu fy mhen pan o'n i'n trio chwarae pêl-droed, rhywsut do'n i ddim yn gallu eu rhannu nhw efo Mo. Er mai fo oedd fy ffrind gorau yn y byd, fedrwn i ddim dweud bob dim wrtho. Ond roedd 'na un peth roedd o'n dallt yn iawn.

"Ti isio dod draw i wylio hen gemau?"

Ers i ni glywed ein bod ni'n mynd i gêm Cymru yn erbyn Lloegr, ro'n i a Mo wedi mynd i'r arfer o wylio hen gemau Cymru fel tasan nhw'n rhai go iawn, ac ar y diwedd, mynd yn ôl i wylio'r goliau a'r arbediadau eto ac eto. Do'n i ddim yn cofio Ewros 2016 yn dda iawn – roedd o'n teimlo fel amser maith yn ôl – ond ro'n i'n teimlo 'mod i wedi bod i bob gêm ac yn nabod pob un chwaraewr.

"Grêt!" meddai Mo. "Bydd rhaid i mi fynd adref jyst i newid."

Ac yn aml, wrth i ni wylio'r gemau a dathlu'r goliau fel tasan nhw ddim wedi digwydd flynyddoedd yn ôl, roedd Dad yn eistedd efo ni, a Mati, ac weithiau Mam. Pan oedd hynny'n digwydd, roedd popeth yn teimlo'n berffaith, a finnau'n cael fy atgoffa faint oedd Mam yn caru pêl-droed hefyd, er nad oedd ganddi gymaint o amser â'r gweddill ohonon ni i feddwl am y peth. Hi ddysgodd Mati am y rheol camsefyll, a hi oedd y gorau ohonon ni i weld gwir dalent mewn chwaraewr ifanc. Roedd hi wedi gweld dawn Neco Williams ymhell cyn ei fod o'n enwog.

"Mae Cymru'n chwarae Gwlad Belg eto nos Sadwrn," meddai Mam un noson, wrth i Mo a Dad a finnau setlo i lawr i wylio gêm Cymru yn erbyn Belg o bencampwriaeth Ewro 2016. Roedd hi'n plicio tatws wrth fwrdd y gegin ac yn hanner gwylio'r gêm drwy'r drws agored. Roedd Mati'n gorwedd ar ei bol yn gwneud llun o Gareth Bale i roi ar ei wal.

"Yndi," atebais. "Dim ond gêm gyfeillgar ydy hi, ond dwi'n methu aros."

"'Dan ni'n mynd i'r clwb i wylio'r gêm," meddai Mo, cyn edrych o 'ngwyneb i i wyneb Dad, mewn panig braidd ei fod o wedi dweud y peth anghywir. Doedden ni ddim wedi bod i wylio gêm ar sgrin fawr y clwb ers damwain Dad, a doedd Mo ddim yn gwybod oedd o'n cael siarad am hynny ai peidio. A dweud y gwir, do'n innau ddim chwaith. "Gei di ddod efo ni, os ti isio," dywedodd wrtha i, ddim yn siŵr oedd hynny'r peth iawn i'w ddweud chwaith.

"Diolch, ond mi arhosa i fa'ma, dwi'n meddwl, i wylio fo efo Dad."

Wrth gwrs, nid dyna ro'n i eisiau ei wneud, ond ro'n i eisiau gwneud y peth iawn. A fedrwn i ddim dioddef meddwl am Dad yn gwylio gêm Cymru hebdda i. Wedi'r cyfan, dyna oedd yr un peth roedden ni'n dau'n ei garu, y peth roedden ni'n siarad amdano'n fwy nag unrhyw beth arall.

Cliriodd Dad ei lwnc, a dywedodd, "Be am i ni i gyd fynd?"

Stopiodd Mam blicio'r tatws. Edrychodd Mati i fyny o'i llun.

"A chdi, Dad?"

"Ia, os dydy Mam ddim yn meindio dreifio," meddai Dad. "Is that okay, Llin?"

"Yndi, siŵr!" meddai Mam, a gwên yn torri ar draws ei hwyneb mewn ffordd oedd yn gwneud iddi edrych yn dlws, dlws.

"Bydd rhaid i fi fynd â... Be ydy *wheelchair* eto?"

"Cadair olwyn," atebodd Mo gyda gwên.

"That's it! Cadair olwyn. Ond os 'dan ni am fynd i'r gêm yng Nghaerdydd, well i fi arfer efo mynd allan yn y gadair, tydy?"

Nodiodd Mam. "Grêt!"

"I can't wait," meddai Mo, oedd wedi arfer siarad Saesneg efo Dad, ond gwenu ac ysgwyd ei ben wnaeth Dad.

"Cymraeg, plis," meddai. "Dim ond Cymraeg, iawn? Mae dy fam yn iawn. Dwi isio gallu siarad Cymraeg."

"Ti YN gallu siarad Cymraeg," meddai Mati, gan droi'n ôl at ei lliwio.

"Yndw. Ond dwi isio gallu neud o heb deimlo'n dwp," esboniodd Dad, ac er 'mod i ddim yn dallt yn iawn beth oedd o'n feddwl, byddwn i'n dod i ddallt cyn bo hir.

9

D WI'N CARU'R CLWB pêl-droed ar noson gêm.
Fel arfer, dim ond oedolion sy'n cael mynd
i'r clwb yn y nos achos ei fod o'n reit debyg i dafarn,
ond mae o'n hollol wahanol pan mae Cymru'n
chwarae. Maen nhw'n llenwi'r lle efo cadeiriau,
fel yn neuadd yr ysgol pan mae 'na wasanaeth, ac
mae pob un gadair yn wynebu'r sgrin enfawr ar y
wal sy'n dangos y gêm. Cyn y gêm, hyd yn oed os
ydy hi'n rhewi neu'n stido bwrw y tu allan, mae'r
hogiau a'r genod sydd tua'r un oed â fi yn mynd
allan i chwarae pêl-droed, ond dim ond ar ôl i ni
hawlio'n lle yn y clwb drwy adael siwmper neu
hwdi ar y cadeiriau. Wedyn, rhyw chwarter awr cyn
y gêm, 'dan ni'n mynd i mewn i'r clwb, yn swnian
ar ein rhieni am bres i brynu pop a rhywbeth i'w
fwyta, cyn eistedd i lawr i wylio'r gêm.

Roedd diwrnod gêm Cymru yn erbyn Gwlad
Belg yn berffaith – awyr las, las a arhosodd yn
olau tan ar ôl wyth, digon o haul, a phawb mewn
hwyliau da. Fel arfer, byddai'r pedwar ohonon ni'n

cerdded yno o'r tŷ, ond gan fod Dad yn methu cerdded rŵan, gyrrodd Mam i fyny yna. Roedd o'n deimlad rhyfedd ei gweld hi'n tynnu'r gadair olwyn allan o gefn y car ac yn ei gosod ar y maes parcio. Mi wnes i gynnig helpu ond doedd Mam na Dad ddim eisiau ffýs: "Ma'n iawn, boi, dos di at dy fêts," meddai Mam, a dyna wnes i.

Mae'n rhaid ei fod o'n od iawn i Dad gael ei wthio i mewn i'r clwb pêl-droed yn y gadair olwyn, ond beth bynnag oedd o wedi bod yn ei ddisgwyl neu ei ofni, roedd pawb yn ofnadwy o glên efo fo. Erbyn i mi ddod i mewn ar ôl chwarae pêl-droed, roedd Dad efo'i ffrindiau wrth y bar, yn tynnu coes ac yn chwerthin fel roedd o'n arfer gwneud. Yr unig wahaniaeth oedd ei fod o mewn cadair olwyn – a hefyd, efallai yr olwg o ryddhad oedd ar ei wyneb o. Dwi'n meddwl ei fod o wedi meddwl y byddai pawb yn ei drin o'n wahanol.

"Dad, ga' i bres i brynu Fanta?" gofynnais, a rholiodd Dad ei lygaid wrth dyrchu yn ei boced.

"O, dyma ni. Fydd gen i ddim pres ar ôl a hwn fel mae o!" rhoddodd Dad ddarn dwybunt yn fy llaw a gwenais, yn mwynhau'r ffaith ei fod o wedi tynnu 'nghoes i, a hynny yn Gymraeg! Roedd o'n dechrau swnio fel yr hen Dad unwaith eto.

"Iawn, boi?" meddai Mei, yr hyfforddwr pêl-droed, oedd yn sefyll efo Dad. Roedd o a Dad wedi bod yn yr un criw ffrindiau ers blynyddoedd ac roedd o wastad yn glên efo fi.

"Iawn diolch."

"Neis gweld yr hen foi allan eto."

"Yndi."

"Hei! Llai o'r hen foi 'ma plis."

Chwarddodd pawb, ac ysgwydodd Mei ei ben.

"Ac yn siarad Cymraeg! Fedra i'm coelio'r peth!"

"Dwi'n neud fy ngorau."

Dyna i chi beth ryfedd. Er mai dim ond ychydig wythnosau oedd wedi mynd heibio ers i Dad ddechrau siarad Cymraeg adref efo ni, ro'n i wedi arfer efo'r peth yn syth. Ond dyma'r tro cynta erioed i mi ei glywed o'n siarad Cymraeg allan efo'i ffrindiau. Chwarae teg iddo fo.

Ar hynny, galwodd Mo arna i fod y gêm ar fin dechrau, felly mi brynais i fy niod yn reit sydyn a mynd am fy sedd.

Dwi'n caru pêl-droed – mae'n siŵr eich bod chi wedi dyfalu hynny erbyn hyn! Ac roedd gwylio'r gêm yn y clwb yn brofiad anhygoel, yn enwedig ar noson boeth fel heno, a phawb yn benderfynol o gael amser da. Ond weithiau, mae hyd yn oed ffans go iawn fel fi'n gorfod cyfaddef fod 'na rai gemau yn teimlo'n fflat ac yn ddi-egni, ac roedd hon yn un o'r rheiny. Roedd gan Wlad Belg well tîm na ni, roedd hynny'n amlwg, ond er hynny, roedd 'na arwyddion o'r pethau gwych roedd rhai o'n chwaraewyr ni'n gallu gwneud. Neco Williams, wrth gwrs, a Ben Davies. Rabbi Matondo a Bale. Joe Allen, mor gyflym a chyfrwys efo'r bêl ag erioed. Bu bron iawn i ni sgorio ddwywaith, ond roedd amddiffyniad Gwlad Belg yn rhy dda. Nhw wnaeth ennill, 1–0, ac i fod yn deg, nhw oedd yn haeddu ennill hefyd.

Arhosodd Aaron Ramsey ar y fainc drwy gydol y gêm.

"Dydy o ddim yr un boi ers yr anaf yna," meddai Connor.

Ac er fod rhan ohona i'n gwybod fod hynny'n wir, a bod Rambo *yn* dioddef ers cael ei anafu mewn gêm o'r blaen, do'n i ddim yn licio fod Connor wedi ei ddweud o. Roedd Aaron Ramsey'n dal yn chwip o chwaraewr, a byddai'r gêm wedi bod yn wahanol efo fo.

"Bet fydd Rambo ar y cae pan 'dan ni'n mynd i weld Cymru," meddai Mo dan ei wynt wedyn, yn amlwg yn gweld 'mod i ddim yn licio'r hyn roedd Connor wedi ei ddweud.

"Ti'n meddwl?" gofynnais.

"Bydd, siŵr. Gei di weld."

Er ei bod hi'n dywyll erbyn diwedd y gêm, aeth criw ohonon ni allan i chwarae mwy o bêl-droed. Roedd rheolwr y lle wedi rhoi'r llifoleuadau ymlaen, ac felly roedd popeth yn llachar iawn, a phawb yn llawn egni ar ôl gwylio'r gêm. Ac ro'n i, fel bydda i bob tro ar ôl gwylio gêm o bêl-droed, yn llawn egni ac angerdd.

O! Ro'n i'n caru pêl-droed.

Efallai nad ydach chi'n dallt. Efallai mai cerddoriaeth ydy'r peth dach chi'n ei garu fwyaf, neu rygbi, neu lyfrau neu nofio neu reidio ceffylau neu redeg… Ond i fi, pêl-droed oedd yn gwneud popeth yn iawn, ac yn clirio fy meddwl i fel dim byd arall. Ac ar ôl gwylio'r gêm wael yna yn y clwb, mi redais allan ar y cae am gêm fach ddibwys, a mil o wahanol bethau'n trio gwthio'u ffordd i mewn i fy meddwl.

Gêm Cymru yn erbyn Lloegr mewn pythefnos a hanner, a'r edrych ymlaen a'r poeni roedd gen i i'w wneud am hynny.

Dad mewn cadair olwyn.

Mam yn gorfod mynd i'r gwaith a gwneud bob dim adref ac yn gwneud y cyfan efo gwên ar ei hwyneb.

Divya hyfryd, annwyl, hael, fwy neu lai'n gorfodi Dad i ddod i'r gêm ac i ddechrau siarad Cymraeg yn amlach.

Griffiths y Git yn yr ysgol, a gwybod na fyddwn i byth, byth yn ddigon da i bobol fel fo.

Mati, oedd ddim yn siarad efo fi mor aml rŵan am fod Mam a Dad wedi rhoi'r gorau i ffraeo.

Y ffaith fod Emlyn yn flin efo fi am fod mor wael am chwarae pêl-droed.

Ac roedd yr holl bethau yma'n chwyrlïo yn fy meddwl i yn teimlo fel pethau mawr, yn sydyn, yn bethau i boeni amdanyn nhw neu'n bethau i edrych ymlaen atyn nhw, a rhywsut, *rhywsut,* ar y noson honno ar ôl y gêm, mi wnaeth y pethau hynny wneud i mi deimlo'n bwerus ac yn gryf. Doedd Y Peth Ofnadwy ddim yn teimlo'r un fath ar yr eiliad yna. A phan basiodd rhywun y bêl i mi, doedd gen i ddim ofn unrhyw beth.

Plethais o gwmpas yr amddiffyniad, yn *gwybod,* rhywsut, 'mod i am sgorio gôl. A dyna wnes i. Gôl bwerus, ddidrafferth, yn syth i gefn y rhwyd. Clapiodd ambell un o'r hogiau eraill, a galwodd

Cadi, oedd yn chwarae yng nghanol cae, "Nais won, Sam!"

Ond do'n i ddim wedi gorffen yn fan'na.

Fedrwn i ddim cadw oddi wrth y bêl. Fedrwn i ddim tynnu fy llygaid oddi arni. Doedd dim byd arall yn bodoli, dim ond yr holl bethau oedd yn fy mhen i, yn chwyrlïo o gwmpas fel storm, a'r cae pêl-droed, y ddau gôl bob pen i'r cae, y chwaraewyr. Pan symudodd y tîm arall am y gôl, mi es i ati i daclo Connor, sydd ddwywaith fy maint i, ac mi gefais feddiant o'r bêl. Symudais â hi a'i phasio at Mo, a wedyn rhedeg nerth esgyrn fy nghoesau am y gôl. Pasiodd Mo'r bêl yn ôl ata i, a fflachiodd Aaron Ramsey i 'mhen i wrth i mi basio dau amddiffynnydd o'r tîm arall, a sgorio unwaith eto.

Dwi dal ddim yn siŵr beth ddigwyddodd y noson honno, ond roedd o'n beth anhygoel a gwych, a phetawn i'n gallu, mi fyddwn i'n cael fy meddwl yn ôl i'r un math o stad bob tro y byddwn i'n agos at bêl, achos roedd o'n deimlad mor, mor wych. Ro'n *i'n* wych. Yn amddiffyn, yn taclo, yn sgorio. Doedd gen i ddim ofn neb na dim, ac roedd hi'n gwbl amlwg i bawb mai fi oedd y chwaraewr gorau ar y cae yna o bell ffordd.

Wnes i ddim sylweddoli ar y pryd, ond aeth rhywun i mewn i'r clwb i ddweud wrth Mam a Dad am ddod allan i wylio. Do'n i ddim hyd yn oed yn clywed y clapio a'r gweiddi clên, achos y gêm oedd popeth. A phan orffennodd y gêm, dyna pryd wnes i edrych i fyny a gweld y rhes o oedolion yn sefyll wrth ymyl y cae – Mam a Dad a Mei yn edrych arna i'n gegrwth, yn methu coelio 'mod i wedi gallu chwarae cystal, a Divya a Henry a rhai o'r rhieni eraill yn clapio ac yn gweiddi.

"Be oedd hynna?!" meddai Emlyn wrth i ni gerdded oddi ar y cae. Rhoddodd ei law ar fy ysgwydd – arwydd o barch yn y byd pêl-droed. "Pwy fysa'n meddwl?! Ti'n well pêl-droediwr na'r un ohonan ni pan rwyt ti fel hyn!"

Ar ochr y cae roedd Dad yn ysgwyd ei ben, wedi gwirioni.

"Bendigedig!" meddai – gair roedd o wedi ei ddysgu ychydig ddyddiau ynghynt.

Gwenodd Mei arna i. Doedd dim rhaid iddo fo ddweud dim byd – roedden ni'n dau yn gwybod, dwi'n meddwl, fod 'na ryw egni anarferol wedi fy llenwi i'r noson honno, ar ôl yr holl fisoedd anodd o ofn a phoeni oedd wedi bod.

Am ychydig dros awr, ar gae pêl-droed mewn

gêm oedd yn golygu dim byd i neb, ro'n i wedi bod yn seren. A do'n i ddim wedi bod ag ofn unrhyw beth.

Roedd o'n anhygoel.

10

MAE AARON RAMSEY gymaint yn fwy na dim ond pêl-droediwr.

Wrth gwrs, mae hynny'n wir am bob un pêl-droediwr, ond am ryw reswm, roedd 'na rywbeth am Rambo oedd yn gwneud i mi deimlo 'mod i'n ei nabod o. Ei fod o'n debyg i mi. Neu, efallai, ei fod o'r math o ddyn yr hoffwn i gael bod rhyw ddiwrnod. Achos y ffordd y chwaraeais i'r noson honno yn y clwb, roedd o'r un math o bêl-droed ag oedd Aaron Ramsey'n ei chwarae. A doedd o ddim yn teimlo fel fi o gwbl, yn pasio'r bêl ac yn gwibio fy ffordd i bob rhan o'r cae, yn taclo pobol heb fod ofn, a gwybod yn union i ble a phryd y dyliwn i basio'r bêl.

"Deud wrtha i 'ta," meddai Divya wrth yrru i lawr i Gaerdydd. Roedd Dad yn eistedd yn y sedd flaen wrth ei hymyl hi, a Mo a minnau yn y cefn yn dadlau am ein hoff bêl-droedwyr. "Be sy mor arbennig am Aaron Ramsey?"

"Mae'n anodd esbonio," atebais, gan wybod

fod hynna'n ateb gwael ond ei fod o hefyd yn wir. Roedd 'na gymaint, gymaint o bethau ro'n i'n eu hedmygu am Rambo, a dwi'n meddwl fod yr un peth yn wir am bawb sy'n wir ffan o bêl-droed. Mae gan bawb eu ffefrynnau.

Fel Mo a Harry Wilson – mae o wedi gwirioni efo fo yn yr un ffordd ag ydw i wedi gwirioni efo Rambo. Mae Wilson yn iau na Rambo, ac felly does 'na ddim gymaint o goliau i'w gwylio a ddim gymaint i'w ddarllen ar-lein, ond gan fod Wilson yn chwarae i Lerpwl, mae o'n enwog iawn ac yn cael lot o sylw. Dwi ddim yn siŵr pam mae Mo'n dotio ato fo, er ei fod o'n wych. Dwi'n meddwl ei fod o'n gweld rhywbeth yn ei gymeriad ac yn steil ei chwarae mae o'n licio.

Neu fel Dad a Thierry Henry, chwaraewr Arsenal sydd wedi ymddeol ers hydoedd ond ei fod o'n dal i swyno Dad ar hen fideos ar y we ac mewn llyfrau. Weithiau, dwi'n meddwl fod Dad wedi modelu ei gymeriad a'r ffordd mae o'n symud a'r ffordd mae o'n chwarae pêl-droed ar Thierry Henry, achos pan dwi'n gwylio hen fideos, mae'r ddau yn ofnadwy o debyg, er mor wahanol maen nhw'n edrych.

O'r diwedd, roedd y diwrnod wedi dod. Y bore

hwnnw, roedd Divya wedi dod i'n codi ni yn ei char mawr blêr, wedi taflu'n bagiau yn y cefn cyn gosod y gadair olwyn yn ofalus. Er mor gynnar oedd hi ar fore Sadwrn, roedd Mam a Mati wedi dod allan i godi llaw arnon ni. Peth anarferol iawn oedd i'r ddwy gael amser dim ond iddyn nhw, ac felly roedden nhw'n bwriadu mynd am drip i'r sw ac wedyn i'r sinema ac i gael byrgyr mewn bwyty. Felly wrth i Divya a ninnau yrru i ffwrdd, roedd Mam a Mati eisoes wedi gwisgo ac yn barod i fynd, a Mati'n gwisgo band gwallt oedd â chyrn carw'n sticio allan ohono fo: "Achos dwi isio gweld y ceirw yn y sw."

Llyncais wrth weld wyneb clên Mam yn gwenu arna i wrth i ni ddiflannu rownd y gornel. Na. Na. Fyddwn i ddim yn caniatáu i mi fy hun boeni am unrhyw beth, dim ar y trip yma.

"Hei!" meddai Dad. "Ti'n gwbod y wefan dysgu Cymraeg wnest ti ddangos i mi?"

Roedden ni ryw hanner ffordd ar hyd ein taith i Gaerdydd, a ninnau'n pasio drwy bentrefi nad o'n i erioed wedi bod ynddyn nhw o'r blaen – pentrefi efo enwau tlws fel Dinas Mawddwy, Caersws, Talerddig.

"Mae o'n grêt, dydy!" atebodd Divya gyda gwên.

"Mae o wedi gwneud byd o wahaniaeth i ti, p'run bynnag."

Roedd hi'n dweud y gwir. Er fod Dad yn defnyddio rhai geiriau Saesneg yn ei frawddegau, Cymraeg roedd o'n siarad bob amser bellach.

"Mae 'na griw o bobol o'r wefan yn cyfarfod am goffi ym Mangor i ymarfer siarad Cymraeg bob wythnos. Dwi am ddechrau mynd."

"Hei! Grêt!" Gwenodd Divya. "Ro'n i'n arfer mynd i'r cyfarfodydd yna, pan oedd Mo yn fabi. Dyna'r ffordd orau o ddysgu." Ac roedd hynny'n rhyfedd i mi glywed, achos do'n i byth yn meddwl am Divya fel rhywun oedd wedi dysgu Cymraeg, er 'mod i'n gwybod mai dyna oedd hi wedi ei wneud.

Rhoddodd Divya gerddoriaeth Gymraeg ymlaen i Dad gael clywed. Canwr o'r enw Gareth Bonello, efo llais breuddwydiol, swynol, ac a wnaeth i Dad ddweud, "Do'n i ddim yn gwbod fod 'na fiwsig fel'ma yn Gymraeg! Tro fo i fyny, Divya…"

Roedd Mo wedi bod yn cysgu'n sownd ers Porthmadog, a rhoddais innau fy mhen yn ôl a gadael i mi fy hun synfyfyrio, yn hanner gwrando ar y gerddoriaeth hyfryd ac yn gwylio Cymru'n gwibio heibio ffenestri'r car.

Tybed beth oedd Aaron Ramsey yn ei wneud ar yr union eiliad yma? Y bore cyn gêm. Paratoi, mae'n siŵr, ond sut? Yn y gampfa? Yn bwyta pryd mawr maethlon yng nghegin ei dŷ? Oedd o efo gweddill y tîm? Oedd o'n nerfus?

Oedd o'n mynd i chwarae o gwbl?

Erbyn i ni gyrraedd Caerdydd, roedd Mo wedi cael pedair awr o gwsg, ro'n i wedi synfyfyrio ac ystyried pob un aelod o garfan Cymru, ac roedd Dad wedi sgwennu enwau Gareth Bonello, Adwaith a Drumbago i lawr yn ei ffôn – cantorion a bandiau roedd o wedi eu clywed ar y daith. Roedd o'n benderfynol o wrando mwy arnyn nhw ar ôl mynd adref. Wrth i'r traffig ddechrau prysuro, deffrodd Mo yn fy ymyl.

"Do'n i'm yn cysgu am yn hir, nago'n?"

Chwarddais. Welais i erioed neb fel fo am gysgu.

"'Dan ni yng Nghaerdydd."

"Na 'dan!" Eisteddodd Mo i fyny'n syth ac edrych drwy'r ffenest. "Wow! Roedd hynna'n sydyn."

"Nag oedd," chwarddodd Divya. "Mi gymrodd oriau. Reit, awn ni'n syth i'r gwesty, iawn? Jyst i setlo a rhoi ein pethau i gadw. A wedyn, cinio! Dwi ar lwgu."

Chwarae teg i Divya. Roedd hi wedi trefnu bob un dim, ac er ei bod hi'n ffyslyd weithiau, ac yn licio bod yn fòs ar bawb, roedd hynny'n beth da mewn sefyllfa fel hyn. Roedd hi wedi trefnu gwesty i ni yng nghanol Caerdydd, ar un o'r strydoedd nesaf at Heol y Frenhines, sef y brif stryd siopa. Roedd o'n lle eitha crand – wel, roedd o'n teimlo'n grand i mi, oedd ddim wedi arfer aros mewn gwestai. Ar ôl iddi nôl y goriadau cerdyn i'n stafelloedd ni, aeth hi a Mo i'w stafell nhw ar y trydydd llawr, ac mi gymerais i a Dad y lifft i fyny i'r unfed llawr ar ddeg. Gwthiais i'r gadair olwyn ar hyd y coridor hir, nes dod at ein stafell ni ac agor y drws.

Dau wely, teledu mawr, stafell ymolchi oedd yn sgleinio, tegell a the a choffi a bisgedi, ac yn well na dim arall, ffenest enfawr oedd yn ymestyn o'r llawr at y nenfwd, yn edrych allan ar brysurdeb dinas Caerdydd. Tynnais lun ar fy ffôn a'i ddanfon at Mam.

Stafell ni! xx

Woooow Sami! Edrych yn hyfryd! Popeth yn iawn? xxx

Yndi diolch. Methu aros tan y gêm xx

Mi fydd Mati a finna'n gwylio ar y teledu xxx

Cododd Dad a cherdded ar ei faglau draw at y ffenest, a phwysodd yn erbyn y gwydr gan syllu allan. Syllodd am yn hir, cyn edrych yn ôl arna i gyda gwên.

"Tydy o'n grêt, Sam?"

Ac roedd o'n iawn. Roedd o *yn* grêt.

Ar ôl cinio neis mewn bwyty bach Americanaidd prysur mewn canolfan siopa, aeth y pedwar ohonon ni o gwmpas y siopau. Doedd y gêm ddim tan y noson honno, felly roedd 'na ychydig oriau i gael crwydro a gwario. Mi fynnodd Divya ein bod ni'n mynd i siop lyfrau, ac er nad oedd unrhyw un arall eisiau mynd, pan aethon ni i mewn a gweld bod 'na dri llawr cyfan o lyfrau, daeth hi'n amlwg fod 'na ddigon yna i blesio pawb. Aeth Divya a minnau yn syth draw at y llyfrau am bêl-droed, aeth Mo i chwilio am nofel graffeg newydd roedd o wedi clywed amdani, ac er mawr syndod i bawb, gofynnodd Dad wrth un o'r dynion wrth y til a oedd ganddyn nhw lyfrau Cymraeg, am ei fod o eisiau darllen rhywbeth yn Gymraeg ond dim byd rhy gymhleth.

Roedd 'na siop chwaraeon fawr yn un o'r canolfannau siopa, ac i fan'no ro'n i a Mo eisiau mynd go iawn. Roedd gen i dipyn o bres ro'n i wedi ei gadw ers fy mhen-blwydd, ac roedd Mo wedi bod yn cynilo ei bres poced ers i ni glywed gynta ein bod ni'n dod i Gaerdydd. Ac felly i fan'no aethon ni wedyn, a finnau'n gwthio cadair olwyn Dad, oedd yn anodd weithiau am fod y rheilings dillad mor agos at ei gilydd, gan wneud y llwybr drwy'r siop yn gyfyng.

Edrychodd Mo a minnau ar y treinyrs i ddechrau, er nad oedd gennym ni ddigon o bres i'w prynu nhw. Dwi'n meddwl y bydden ni wedi gallu gwneud hynny drwy'r dydd, ond ar ôl tri chwarter awr, dywedodd Divya fod rhaid i ni frysio os oedden ni am fynd â'n siopa yn ôl i'r gwesty a chael tacsi i'r stadiwm. Felly yn frysiog, mi aethon ni draw at y crysau pêl-droed.

Rŵan, dwi'n gwybod bod dillad a sgidiau chwaraeon yn wirion o ddrud. Dwi'n gwybod 'mod i'n ifanc ac yn mynd i dyfu allan o 'nillad mewn dim o dro, a bod 'na ddim pwynt gwario ffortiwn ar rywbeth fyddai ddim yn fy ffitio i ymhen blwyddyn. Ac efo crysau pêl-droed, hyd yn oed os ydyn nhw'n ffitio, mae 'na rai newydd yn dod allan bob tymor, felly mae'r hen rhai'n teimlo'n hen ffasiwn yn sydyn iawn.

Ond…

Crys Cymru oedd o, yn goch, wrth gwrs, efo'r symbol 'Gorau Chwarae Cyd Chwarae' dros y galon. Roedd o'n syml, syml, ond roedd y defnydd yn feddal a bron iawn yn sgleiniog, ac ar y cefn, roedd yr enw RAMSEY mewn llythrennau mawr gwynion. Dim ond crys, ond mam bach, ro'n i eisiau'r crys yna'n fwy nag unrhyw beth. Yn fwy hyd yn oed nag o'n i wedi crefu am ffôn newydd adeg y Nadolig, neu am y bag ysgol newydd pan oedd pawb arall efo rhai neis a finnau efo un rhad.

"Woooow, ma hwnna'n berffaith i ti," meddai Mo, wrth fy ngweld i'n dal y crys i fyny.

"Rhy ddrud," dywedais, ac roedd fy llais i'n swnio'n rhyfedd, achos do'n i ddim rhyw fymryn bach yn siomedig, ro'n i'n siomedig iawn, iawn. Roedd meddwl am adael y siop heb y crys yn gwneud i mi deimlo'n rhyfedd.

"O! Biti. Dwi am gael hwn dwi'n meddwl."

Daliodd Mo grys tebyg i fyny, oedd ag enw WILSON ar y cefn.

"Be am rheina? Maen nhw'n rhatach."

Pwyntiodd at grysau-t cochion efo #WALES arnyn nhw. Do'n i ddim wir yn eu hoffi nhw, a bod yn hollol onest, ond ro'n i eisiau rhywbeth newydd i'w wisgo'r noson honno i wylio'r gêm. Rhywbeth i gofio'r achlysur. Symudais draw i edrych a oedd ganddyn nhw grysau-t yn fy maint i.

"Bryna i o i ti." Clywais lais Dad, a throais i edrych arno. "Y crys Aaron Ramsey yna. Tyrd â fo yma i mi gael mynd i dalu."

"Na, mae'n iawn," meddwn, yn gwybod yn iawn ei fod o a Mam yn dal i anghydweld am bres. Roedd o'n cael hyn a hyn o arian gan ei waith ac yntau'n methu gweithio achos ei droed, ond roedd pethau'n dynn acw. Doedd gan ein teulu ni ddim y math yma o bres i'w wario ar grysau.

"Dwi isio prynu fo i ti, Sam. Tyrd â fo."

Ac er 'mod i'n ofni ei fod o'n rhy ddrud, ac y byddai Mam yn flin neu'n poeni fod Dad wedi gwario gymaint ar grys, mi adawais i Dad brynu'r crys i mi achos 'mod i ei eisiau fo gymaint. Ac ar ôl cyrraedd y gwesty i baratoi i fynd i'r gêm y noson honno, rhoddais grys Aaron Ramsey amdana i, ac edrychais arna i fy hun yn y drych.

Dwi ddim yn meddwl fod unrhyw ddilledyn erioed wedi fy ffitio i gystal.

11

ROEDD POPETH YN anhygoel.

Yr awyrgylch y tu allan i'r stadiwm, a'r cannoedd ar gannoedd o bobol yn chwerthin ac yn bwyta ac yn sgwrsio, y rhan fwyaf mewn crysau coch Cymru ond rhai mewn crysau gwynion Lloegr. Roedd 'na bobol yn gwerthu crysau-t a sgarffiau, a phobol yn peintio wynebau mewn patrwm dreigiau coch neu gennin Pedr. Roedd 'na gymaint i'w weld a'i glywed, ac arogl bwyd a chwys a phersawr a phobol o'n cwmpas ni i gyd. Fues i erioed i ffasiwn le. Roedd o'n arbennig.

Roedd y stadiwm yn enfawr, yn llawer iawn mwy na'r hyn ro'n i wedi ei ddisgwyl. Roedd 'na gymaint o wahanol ffyrdd i mewn, ac roedd o'n dweud ar y tocynnau pa giât mynediad roedd rhywun i fod i fynd trwyddi. Ond aethon ni ddim i mewn yn syth, dim ond crwydro o gwmpas y lle yn edrych ar yr holl bobol.

"Be ti'n feddwl, Sam?" gofynnodd Dad. Ro'n i'n gwthio ei gadair olwyn, wrth gwrs, ac roedd o wedi dod â baner Cymru ac wedi ei rhoi ar gefn y gadair.

"Mae o'n anhygoel."

Trodd Dad, a gwenodd arna i'n llydan. Edrychais i fyny ar y stadiwm, a meddwl am y chwaraewyr enwog i gyd i mewn yn fan'na rŵan, yn paratoi. *Mae Rambo yma*! Dyma'r agosaf dwi 'di bod ato fo erioed!

Ar ôl ychydig, daeth Divya o hyd i'n giât mynedfa ni, ac i mewn â ni i'r stadiwm. Am fod Dad mewn cadair olwyn, roedden ni'n eistedd ar y gwaelod un, ar yr un lefel â'r chwarae, a fedrwn i ddim dychmygu gwell seddi yn y stadiwm i gyd.

"Mam bach! Byddwn ni mor agos atyn nhw!" Roedd llygaid Mo yn llydan.

"Bron iawn yn werth chwalu 'nhroed i gael ffasiwn seti!" meddai Dad yn grafog, a chymerodd Divya anadl ddofn, ddrwgdybus i mewn drwy ei cheg.

"Paid â dweud ffasiwn beth, wir!" dwrdiodd.

"Tynnu coes o'n i!" meddai Dad, cyn chwerthin. "Tynnu *coes*! Dallt?"

Chwarddodd Mo a minnau ar ei jôc ddi-chwaeth, ac roedd hyd yn oed Divya'n methu peidio â gwenu.

Ac yna, ar ôl gwylio'r stadiwm yn araf lenwi, daeth llais dros yr uchelseinydd yn cyflwyno'r chwaraewyr… A dyna nhw!

Roedd o'n *anhygoel*.

Dychmygwch y sefyllfa. Eich arwyr i gyd, un ar ôl y llall, yn rhedeg allan o'ch blaen chi ar y cae mwyaf gwyrdd i chi ei weld erioed. Roedden nhw mor, mor agos i mi, ac yn edrych fel pobol go iawn, dim jyst yn gymeriadau bach pell ar sgrin fy ffôn. Bale ac Allen a Hennessey a Roberts a Wilson a…

Dacw fo.

Rambo. Aaron Ramsey, fy arwr, y boi oedd yn gwenu arna i o'r poster yn fy llofft hyd yn oed pan oedd bywyd yn teimlo'n amhosib. Roedd o yna, o 'mlaen i, yn rhedeg allan i fonllefau hapus y dorf, ac roedd o'n edrych yn union fel ro'n i wedi disgwyl iddo edrych.

Gan ein bod ni'n chwarae yn erbyn Lloegr, roedd 'na ddigon o enwau mawrion yn y tîm hwnnw hefyd, rhai o bêl-droedwyr gorau'r byd. Prin y gallwn i goelio 'mod i'n ddigon lwcus i gael gweld pêl-droedwyr mor wych yn chwarae. Doedd hyn yn ddim byd tebyg i wylio ar y we, a dim hyd yn oed fel gwylio ar y sgrin fawr yn y clwb.

Dechreuodd pawb ganu'r anthem, ac er 'mod

i wedi ei chanu sawl gwaith o'r blaen, wrth gwrs, roedd hi'n teimlo fel cân hollol wahanol y tro yma, fel petawn i'n dallt y geiriau oedd wedi gwneud dim synnwyr i mi cyn hynny. Wrth fy ymyl, roedd Dad yn canu hefyd, ac roedd pob un gair yn berffaith ganddo.

Dyna'r union eiliad y sylweddolais i pam ei fod o'n bwysig i Dad deimlo'n hyderus yn siarad Cymraeg. Pam ei fod o'n bwysig iddo fo deimlo bod Cymraeg yn iaith oedd yn perthyn iddo fo, er ei fod o'n teimlo fod o ddim yn dda iawn am siarad Cymraeg. Oherwydd yr anthem… wel… Dad oedd pia hi, gymaint â neb arall.

Dechreuodd y gêm, ac yn sydyn, anghofiais i bopeth arall heblaw am yr hyn oedd yn digwydd ar y cae. A dwi'n falch i mi wneud, achos mam bach, am gêm!

Mi gymerodd hi amser i'r timau gynhesu. Roedd 'na dipyn o basio rhwng chwaraewyr i ddechrau, yn ddigon araf a saff a diflas, dim ond i gadw meddiant. Ond yn sydyn, penderfynodd Lloegr fynd amdani, a dyna pryd dangosodd Cymru mor dda oedd eu sgiliau amddiffyn. Bob tro roedd Lloegr yn mynd yn agos at sgorio, roedd un o'n chwaraewyr ni'n cymryd y bêl yn ôl. Roedd saethiad at y gôl gan sgoriwr gorau Lloegr bron iawn â sgorio, ond llwyddodd Hennessey, ein gôlgeidwad ni, i'w arbed.

Ac yna, ychydig funudau cyn y chwiban hanner amser...

Llwyddodd Ramsey i gael gafael ar y bêl gan un o chwaraewyr canol cae Lloegr gyda thacl anhygoel, oedd mor gyflym, doedd y chwaraewr arall ddim yn siŵr beth oedd yn digwydd. Pasiodd Ramsey'r bêl i Joe Allen, oedd yn fwy na pharod amdani, ac ar ôl plethu ei ffordd drwy ddau o amddiffynwyr Lloegr, pasiodd Joe'r bêl i Harry Wilson. Saethodd Wilson am y gôl, ond llwyddodd un o chwaraewyr Lloegr i'w stopio... Ond yna, cafodd Wilson feddiant ar y bêl unwaith eto, a saethodd am yr eildro...

GÔL!!

Roedd y sŵn ar ôl y gôl fel bom. Neidiodd pawb ar eu traed a dawnsio yn yr awyr... Troais i roi coflaid i Mo, er nad oedden ni byth yn gwneud pethau fel yna. Roedd pawb yn bloeddio ac yn chwerthin, pawb yn hollol, hollol hapus. Troais at Dad, oedd yn bloeddio "YEEEEESSSSS!" nerth esgyrn ei ben, ac roedd Divya ar y pen arall yn cofleidio'r ddynes oedd yn eistedd nesaf ati, er nad oedd hi'n ei nabod hi o gwbl!

Dwi'n *caru* pêl-droed.

Roedd yr ail hanner yn llawn cyffro, yn llawn pêl-droed o'r safon uchaf. Roedd tîm Lloegr yn arbennig o dda, ac o fewn pum munud i gychwyn yr ail hanner, roedd Harry Kane wedi sgorio coblyn o gôl. Er eu bod nhw'n ein herbyn ni, a 'mod i wedi cael hen deimlad fel rhywbeth yn syrthio yn fy mol pan sgoriodd o, fedrwn i ddim peidio ag edmygu'r sgìl roedd wedi ei ddangos wrth sgorio'r gôl.

Ond doedd Cymru ddim eisiau siomi'r dorf, roedd hynny'n amlwg. Daeth ail gôl pan gafodd Cymru gic gosb, a sgoriodd Bale fel petai o'r peth hawsaf yn y byd i gyd. A dyna fi wedi gweld un o bêl-droedwyr gorau'r byd yn sgorio gôl.

Pan oedd y gêm yn dechrau teimlo'n araf, byddai fy llygaid wastad yn chwilio am Rambo. Doedd neb tebyg iddo fo. Rywsut, teimlai fel petai o wedi rhedeg ar hyd pob modfedd o'r cae heb flino o gwbl, a doedd arno ddim ofn neb na dim. Pan oedd yr amser yn iawn, byddai'n ceisio cael meddiant ar y bêl, ac yna'n pasio i'r chwaraewr nesaf. Doedd o ddim yn hunanol ac yn cadw'r bêl iddo fo ei hun er mwyn cael sgorio'r goliau i gyd. Roedd o'n meddwl am y tîm.

A rhyw ddeg munud cyn ddiwedd y gêm…

Dwn i ddim sut wnaeth o, er 'mod i wedi gweld y peth â'm llygaid fy hun ac wedi ei gwylio ganwaith wedyn ar y we. Ond mi gymerodd Ramsey'r bêl o draed un o chwaraewyr Lloegr mewn ffordd oedd mor slic, mor hawdd, doedd o ddim hyd yn oed yn edrych fel tacl. Troellodd i newid cyfeiriad y bêl, a symud yn gyflym drwy ganol y cae tuag at y gôl. Daeth un o amddiffynwyr Lloegr i drio cymryd y bêl oddi arno, ond dawnsiodd Rambo o'i gwmpas heb drafferth o gwbl. Un gic sydyn, yn fwa perffaith, ac aeth y bêl dros ben gôl-geidwad Lloegr. Doedd dim gobaith yn y byd ganddo o'i harbed. Roedd Rambo wedi sgorio.

Llamais ar fy nhraed, fy nwylo yn yr awyr, a throdd Mo ata i a sgrechian, "Nice one, Sam!!" Ac er fod hynny'n gwneud dim synnwyr, achos dim fi sgoriodd y gôl, roedd o'n gwneud perffaith synnwyr hefyd, achos yn yr un ffordd ag oedd Mo yn berchen ar goliau ei arwr o, Harry Wilson, fi oedd yn berchen ar goliau Rambo.

Dwi ddim yn meddwl i mi erioed fod mor hapus ag o'n i yn y gêm yna ar yr eiliad yna, yn gwylio Aaron Ramsey yn sgorio, a finnau'n gwisgo fy nghrys newydd â'i enw ar fy nghefn.

Ar ôl y gêm, a phawb wedi gwirioni ein bod ni

wedi curo Lloegr 3–1, arhosodd y pedwar ohonon ni i weld y tîm yn rhedeg o gwmpas y cae yn clapio. Hogiau ni. A phan ddaeth y tîm at ein rhan ni o'r cae, roedden nhw mor, mor agos aton ni – Joey a Bale a Wilson ac, wrth gwrs, Aaron Ramsey. Roedd o'n llythrennol fetrau i ffwrdd oddi wrtha i, a doedd gen i ddim syniad sut i ymateb.

Felly heb feddwl, gwaeddais, "DIOLCH, RAMBO!" yn uchel, uchel.

Ac er mawr syndod i mi, ac i Dad a Mo a Divya, mi glywodd Rambo fy llais dros dwrw'r dorf, achos mi drodd i edrych arna i, a chododd ei fawd arna i. Ac mi wenais i'n ôl ar Rambo, fy arwr, fy hoff bêl-droediwr, ac roedd popeth yn berffaith.

12

PETAEN NI OND wedi mynd yn syth yn ôl i'r gwesty ar ôl y gêm.

Ond wrth gwrs, roedd hynny'n amhosib, achos roedd 'na gymaint o giws i adael y stadiwm, ac awyrgylch mor hyfryd y tu allan, a phawb mewn coch yn dathlu ac yn cofleidio ac yn canu. Ro'n i wrth fy modd yn cerdded drwy'r dorf, er 'mod i'n gorfod gwthio cadair olwyn Dad. Teimlwn fel ein bod ni i gyd, pob un oedd yna i gefnogi Cymru, yn rhan o'r tîm, ac roedd hynny'n deimlad mor hyfryd.

"Gawn ni byth dacsi'n ôl o fama. Mae'n rhy brysur…" meddai Mo wrth weld yr holl bobol yn chwilio am ffordd adref neu i'w gwestai.

"Mi fasan ni'n cael mwy o lwc tasan ni'n cerdded chydig bach o'r ffordd," meddai Divya. "Mi wna i wthio'r gadair olwyn."

"Mae'n iawn," atebais yn sydyn. "Dwi'n licio neud."

Gwenodd Dad arna i, y sglein o hapusrwydd

ar ôl y pêl-droed yn gwneud iddo edrych yn ifanc ac yn olygus. Ro'n i'n dweud y gwir hefyd. Doedd dim ots gen i wthio'r gadair olwyn. Byddwn i wedi teimlo'n rhyfedd petai Divya wedi gwneud, dwi'n meddwl, ac efallai fod Dad yn teimlo'r un fath.

Aeth y pedwar ohonon ni i lawr y stryd, a'r dorf o gefnogwyr o'n cwmpas wedi cael yr un syniad â ni. Roedd rhai yn chwerthin, rhai'n sgwrsio, a rhai'n canu. Mae'n rhaid fod y criw yna mewn côr neu rywbeth, achos roedden nhw'n canu'n dda iawn, efo harmonïau a ballu. Do'n i ddim yn gwybod y gân, ond roedd o'n cynnwys y geiriau, 'Dydy'r sgwâr ddim digon mawr i'n hogia ni', a gwnes addewid i mi fy hun y byddwn i'n chwilio ar y we am y gân ar ôl cyrraedd adref.

Daeth tro yn y stryd, gan arwain at stryd hirach, fwy prysur. Roedd tafarn ar un ochr, a llawer o gefnogwyr Cymru yn sefyll y tu allan gyda'u diodydd, yn dathlu ac yn chwerthin.

"Hei, sbia!" meddai Mo wrth i ni agosáu, ac edrychais i fyny a gweld bod Griffiths y Git yn un o'r rhai oedd yn sefyll y tu allan i'r dafarn yng nghanol criw o ddynion. Ar yr union eiliad yna, sylwodd o ar Mo a minnau, a gwenodd yn llydan.

Do'n i ddim wedi cynhesu at Griffiths y Git, erioed.

"Braidd yn hwyr i chi, yndi, hogiau?" meddai, a chwarddodd ar ei jôc wael ei hun.

"Helô, Mr Griffiths," dywedais yn wan, gan ddod i stop. Cyflwynodd Griffiths y Git ei hun i Dad a Divya, cyn edrych i lawr ar goes Dad.

"Roedd yr hogiau 'ma'n parablu yn fy ngwers i chydig fisoedd yn ôl, yn dweud eich bod chi'n bêl-droediwr!" meddai gyda gwên fawr. "Be ddigwyddodd?"

Symudodd Dad ryw fymryn yn ei gadair olwyn.

"Damwain car," atebodd Dad yn ddigon siort. Roedd o wedi sylweddoli'n syth sut foi oedd Griffiths y Git.

"O! Wel, brysiwch wella. Dwi'n siŵr y byddwch chi'n ôl ar eich traed cyn bo hir," meddai Griffiths, ac er ei fod o'n beth digon ffeind i'w ddweud, doedd o ddim yn swnio'n garedig iawn, fel petai o ddim yn golygu'r geiriau o gwbl.

"Diolch. Gwell i ni mynd," meddai Dad.

"Fynd," cywirodd Griffiths yn syth.

"Sori?"

"Gwell i ni *fynd,* nid mynd. Mae 'na dreiglad." Gwenodd Griffiths eto.

Wrth fy ymyl sythodd Divya, fel petai hi ar fin dechrau cwffio.

"Dim ond newydd ddechrau siarad Cymraeg mae Huw," meddai'n bigog. "Mae o wedi bod yn rhy ddihyder i wneud cyn hyn. Chwarae teg iddo fo, yndê?"

"Ia wir," atebodd Griffiths yn wên i gyd. "Gobeithio fod gennych chi athro call, wir. Dwi'n treulio hanner fy mywyd yn cywiro iaith wallus plant ysgol."

Ochneidiodd Dad yn ddwfn, ac ro'n i ar fin dechrau symud eto, a rholio'r gadair olwyn mor bell â phosib oddi wrth y sefyllfa hyll yma, pan saethodd Dad yn ôl: "Maen nhw'n dweud am beidio correctio Cymraeg rhywun heblaw bod nhw'n gofyn i chi wneud."

"Ia. Rhag ofn iddyn nhw golli hyder yn llwyr," ychwanegodd Divya.

"Cywiro ydy'r gair, dim correctio," meddai Griffiths y Git. "Wela i chi wythnos nesa, hogiau."

Wrth gwrs, doedd Divya ddim yn mynd i adael iddo fo gael y gair olaf, ac mi gafodd Griffiths lond ceg ganddi am sut oedd o ddim yn athro iddi hi nac i Dad, a'i fod o'n gwneud cam mawr â'r Gymraeg drwy fod mor gas efo pobol, a gwneud iddyn nhw deimlo'n dwp. Mae gan Divya un o'r lleisiau yna sy'n cario, ac erbyn y diwedd, roedd pawb wedi troi i edrych, a Griffiths yn syllu arni'n gegrwth, dim syniad ganddo beth i'w ddweud. Ac i ffwrdd â ni i chwilio am dacsi.

"We'll get one down this road here," meddai Dad.

Dyna'r frawddeg gynta iddo'i dweud yn Saesneg ers wythnosau.

Y noson honno, yn ein stafell ni ar yr unfed llawr ar ddeg o'r gwesty crand yng nghanol Caerdydd, eisteddodd Dad yn ei gadair olwyn yn syllu drwy'r ffenest, a goleuadau'r ddinas yn disgleirio yn y düwch. Es innau i 'ngwely, ond er gymaint oedd wedi digwydd, fedrwn i ddim cysgu – ond dim oherwydd y gêm na'r cyffro anhygoel o gael Rambo'n codi bawd arna i.

Ro'n i'n gwybod bod 'na fwy i'w wneud heno.

Roedd Y Peth Ofnadwy wedi dychwelyd yn sydyn

iawn ar ôl i ni weld Griffiths y Git. Yn fwy sydyn nag erioed o'r blaen, fel un don fawr o feddyliau ofnadwy a phoeni a thwrw yn fy mhen. A do'n i ddim eisiau'r Peth Ofnadwy, dim heno, dim ar ôl y gêm oedd newydd ddigwydd. Gorweddais yn fy ngwely, yn clywed curiad fy nghalon yn uchel ac yn teimlo 'mol yn troi.

"Ti'n iawn?" gofynnais wrth Dad ar ôl beth oedd yn teimlo fel oriau o dawelwch.

Wnaeth o ddim troi i edrych arna i, dim ond rhoi ochenaid fach.

"I thought you were asleep."

"Pam ti'n siarad Saesneg efo fi?"

Ysgydwodd Dad ei ben, fel petai hynna'n gwestiwn gwirion. Eisteddais i fyny yn fy ngwely a syllais arno.

"Achos be ddywedodd Griffiths y Git?"

"I'm fed up, Sam. I tried! But I can't get the treigladau right, and I forget the words all the time, and…"

"Dwi'n neud hynna i gyd hefyd! Mae pawb yn neud! Mae o'n normal!"

Trodd Dad i edrych arna i.

"Pan o'n i'n yr ysgol, Sam, roedden nhw'n dweud 'mod i'n rybish yn siarad Cymraeg, a bob tro dwi'n trio, mae 'na bobol fel fo yn dweud wrtha i 'mod i'n dda i ddim. Dydyn nhw ddim *isio* i fi siarad Cymraeg!"

"Dydy o ddim ots am bobol fel nhw! Roeddet ti'n gallu gweld yn syth sut foi oedd Griffiths, dwi'n gwbod dy fod ti!"

"He looked at me, Sam, and he saw a man in a wheelchair who couldn't even talk properly."

"A dwi'n gweld Dad, sy mor ddewr ar ôl cael damwain ac mae o'n siarad Cymraeg!"

Edrychodd Dad drwy'r ffenest, ac ro'n i'n meddwl am eiliad ei fod o'n mynd i grio.

"Ti'n gwbod be, Sam? Os taswn i'n cael dewis chwarae un gêm bêl-droed eto, faswn i ddim yn dewis chwarae i Beniel."

"Na fasat?"

"Na. Mi faswn i'n chwarae i lawr yn y Glan efo ti a dy fêts ar bnawn Sul, achos weithiau dwi'n meddwl am y diwrnod yna pan o'n i efo chi, ac mae 'nghalon i'n brifo."

Wyddwn i ddim beth i'w ddweud am hynny. Unwaith ro'n i'n gadael i mi fy hun feddwl am y peth, roedd fy nghalon innau'n brifo hefyd.

Neidiais allan o'r gwely, a nôl fy ffôn oedd wedi ei blygio i mewn wrth y bwrdd bach. Tynnais y gwefrydd allan, a theipio ambell air i mewn i'r we wrth i mi fynd i eistedd yn ymyl Dad. Dangosais y sgrin iddo fo.

"Not Aaron Ramsey again. Not now, Sam…"

"Gwranda arno fo!"

Cyfweliad oedd o. Aaron Ramsey yn cael ei gyfweld yn Gymraeg, er ei fod o, fel Dad, yn ddihyder, a'i fod o, fel pawb arall, yn cael pethau'n anghywir weithiau.

"Roedd arno fo ofn defnyddio'i Gymraeg, achos ei fod o hefyd wedi cwrdd â phobol fel Griffiths y Git. Pobol oedd wedi bod yn gas. Ond ti'n gweld, Dad? Ti bia'r iaith gymaint â Griffiths. Dydy o ddim yn well na ti, er gymaint mae o'n licio meddwl ei fod o."

Syllodd Dad ar y sgrin, a gwrandawodd ar Rambo'n siarad Cymraeg yn y cyfweliad.

"Fair play to him," meddai Dad yn ysgafn.

"Ia, chwarae teg," atebais innau. "Achos wnaeth o ddim gadael i neb ddweud wrtho fo fod ei iaith o ddim yn ddigon da. Achos pan ti'n gwrando arno fo, mae o'n siarad yn normal, dydi? Ambell i air Saesneg, ambell dreiglad ddim cweit yn gywir. Ond mae o'n berffaith, Dad. Mae o'n siarad Cymraeg perffaith, achos ei fod o'n perthyn iddo fo."

Edrychais ar Dad, ddim yn siŵr sut ymateb ro'n i'n mynd i'w gael. Ond yn araf, ar ôl ychydig, dechreuodd nodio. Edrychodd i fyny arna i, a gwenu.

"Ydach chi wir yn galw fo'n Griffiths y Git?"

"*Mae* o'n git."

"Yndi, mae o. Paid â dweud wrth dy fam 'mod i wedi dweud hynna."

Wedyn, mi wnes i chwarae fideo arall i Dad – fideo ro'n i ond wedi ei wylio unwaith o'r blaen, ond efallai ei fod o unwaith yn ormod, achos mae o'n fideo eitha afiach.

"Ti ddim yn mynd i licio hwn."

"Pam ti'n dangos o i mi 'ta?" gofynnodd Dad.

"Gei di weld."

Gwyliais wyneb Dad wrth iddo weld yr hyn oedd yn digwydd yn y fideo. Yna trodd ei wyneb i ffwrdd, wedi ei ffieiddio. Roedd o'n dangos yr union eiliad mewn gêm bêl-droed pan gafodd Aaron Ramsey anaf gwirioneddol ofnadwy a wnaeth ddrwg go iawn i'w goes. Ro'n i'n casáu'r fideo yna, ac yn difaru i mi ei wylio erioed, achos bob tro ro'n i'n ei gofio, ro'n i bron â theimlo'r boen yn fy nghoes fy hun.

"Mam bach!" meddai Dad.

"Ia. Ond Dad. Mi welaist ti mor ofnadwy oedd be ddigwyddodd i Rambo ar y fideo yna. Ond mi welaist ti mor wych oedd o ar y cae yna heno hefyd, do? Dydy anaf ddim yn ddiwedd y byd."

Edrychodd Dad i lawr.

"Dydy o ddim yr un fath, chwaith. Wna i byth chwarae i Beniel eto."

"Na, falla ddim. Ond mi wnei di chwarae eto, a mynd i'r gwaith, a mynd am dro a ballu. Dyna dwi'n licio am Aaron Ramsey. Mae o'n glên ac yn annwyl, ond dydy o ddim yn mynd i adael i neb ddweud wrtho fo pa iaith i'w siarad, na'i fod o'n gorfod stopio chwarae ar ôl cael anaf drwg."

Edrychodd Dad arna i, a gwenu.

"Ti'n rhy glyfar am hogyn mor ifanc."

Gwenais yn ddireidus.

"Dwi'n tynnu ar ôl Mam."

Chwarddodd Dad, a'r tu ôl iddo, disgleiriodd goleuadau Caerdydd yn y düwch.

13

D WI DDIM YN siŵr beth oedd yn wahanol.
Ai'r ffaith fod Dad a fi wedi bod ar
wyliau bach i Gaerdydd efo'n gilydd, neu'r hyn
ddigwyddodd ar ôl y gêm, neu'r sgwrs gawson ni
yn y gwesty wedyn? Neu efallai'r ffaith ein bod
ni wedi gweld tîm Cymru'n chwarae, ac wedi
gweld Aaron Ramsey'n gwneud ei hud ar y cae.
Mae gweld pethau fel'na, a theimlo awyrgylch
stadiwm a chefnogi tîm, yn gallu'ch newid chi.
Efallai mai cyfuniad o bopeth oedd o. Ond doedd
pethau ddim yn teimlo'r un fath ar ôl i ni fynd
i weld Cymru'n chwarae. Roedd popeth fymryn
lleiaf yn well.

"Ti'n meddwl gawn ni fynd i weld gêm eto?"
gofynnodd Mo un prynhawn ar ôl ysgol, a ninnau
ar gae'r Glan yn cicio pêl.

Roedden ni wedi gwylio'r gêm ar y we droeon
ers dod yn ôl o Gaerdydd, a hyd yn oed wedi gweld
ein hunain yng nghanol y dorf yn y cefndir. Doedd
dim un dydd wedi mynd heibio heb ein bod ni

wedi chwarae pêl-droed, hyd yn oed pan doedd gweddill y criw ddim eisiau dod.

"Cawn, siŵr!" atebais, gan drio gwneud troad Cruyff a methu. "Mi wnaeth pawb fwynhau, yn do?"

Nodiodd Mo.

"Mae Mam yn dal i fynd ymlaen ac ymlaen amdano fo. Mae Dad yn dweud ei bod hi'n swnio fel un o gyflwynwyr *Sgorio*."

Gwenais. Roedd Divya'n ddigri, a do'n i ddim yn siŵr beth fyddai ein teulu ni wedi gwneud hebddi dros y misoedd diwethaf. Ro'n i wedi trio esbonio hyn iddi pan oedden ni yn y car ar ein ffordd adref o Gaerdydd, a Mo a Dad yn cysgu ar y daith, ond mae Divya'n un o'r bobol hynny sydd ddim yn licio ffws na chlod.

"Gawn ni eistedd am funud?" meddai Mo yn fyr ei wynt.

Roedden ni wedi bod yn rhedeg o gwmpas ar ôl y bêl ers awr a mwy. Croesodd y ddau ohonon ni'r cae tuag at fainc. Cofiais am yr adeg daeth Dad i gicio pêl efo'r hogiau a finnau. Roedd hynny'n teimlo mor bell yn ôl…

"Dwi'n meddwl am y gêm, sti," meddai Mo wrth eistedd ar y fainc. "Pan dwi'n poeni."

Edrychais arno mewn syndod.

"Poeni am be?"

Cyn belled ag o'n i yn y cwestiwn, doedd gan Mo ddim byd i boeni amdano. Roedd ei rieni'n addoli ei gilydd, roedd o'n dda am chwarae pêl-droed, roedd o'n gwneud yn iawn yn yr ysgol heb orfod trio'n rhy galed. Roedd gan Mo'r bywyd perffaith.

"Bob dim!" meddai Mo, fel petai'r cwestiwn yn un hollol wirion.

"Fel be?"

Ysgydwodd Mo ei ben, ddim yn siŵr ble i ddechrau. Syllodd allan dros harbwr Bangor a Phorth Penrhyn, Sir Fôn yn y pellter.

"Ti'n gwbod," meddai'n swil. "Poeni fod neb yn licio fi a ballu…"

Fedrwn i ddim coelio fy nghlustiau. "Ond mae pawb yn licio chdi, siŵr!"

Ochneidiodd Mo. "Wyt ti ddim yn poeni am bethau 'ta?"

Teimlais ryw nerfusrwydd bach newydd yn fy mol, er mai Mo oedd hwn, fy ffrind gorau un.

"Yndw, siŵr."

"Am be wyt ti'n poeni 'ta?"

"Mam a Dad yn ffraeo," dywedais. "A pethau fel bod Mam yn gwneud gormod a ddim yn cael fawr o gyfle i fwynhau, a Dad yn ddigalon ar ôl ei ddamwain."

Gallwn deimlo llygaid Mo yn troi i edrych arna i, ond fedrwn i ddim edrych yn ôl. Do'n i ddim wedi dweud wrtho fo am Mam a Dad yn ffraeo o'r blaen. Roedd o'n teimlo'n rhyfedd fod rhywun arall yn gwybod.

"Dwi'n casáu poeni," meddai Mo gydag ochenaid. "Mae o'n cymryd drosodd, dydy?"

"Ydy!" Fedrwn i ddim coelio fod Mo yn dweud y geiriau yma, a minnau wedi meddwl mai dim ond fi oedd yn teimlo fel hyn. "Weithiau, 'de…" Tynnais anadl ddofn. "Weithiau, mae'r poeni'n mynd mor wael, dwi'n rhoi enw iddo fo."

"Wyt ti?"

"Dwi'n ei alw fo Y Peth Ofnadwy." Roedd o'n teimlo braidd yn wirion yn ei ddweud o'n uchel, ond eto ro'n i'n teimlo'n well 'mod i'n rhannu'r peth efo rhywun. "Mae o'n gwneud i mi deimlo fel tasa 'na dwrw mawr yn fy mhen i, sti, a bob dim yn brysur, brysur."

"I fi, mae o'n teimlo fel rhywbeth oer a chaled tu mewn," cyfaddefodd Mo. "Rhyfedd fel mae poeni'n teimlo'n wahanol i wahanol bobol, yndê?"

"Ia." Dychmygais mor od oedd hi fod Mo a

finnau, efallai, wedi treulio nosweithiau'n gorwedd yn effro yn poeni, a dim syniad gan y naill fod y llall yn teimlo'n debyg. "Ti'n meddwl fod 'na ffordd i stopio'r poeni?"

A dyma Mo a finnau'n aros yno i siarad am y peth. Dywedais wrtho am y ffordd roedd cofio hen gemau pêl-droed yn help i gael fy meddwl oddi ar Y Peth Ofnadwy, a'r posteri ar y waliau oedd yn gwneud i mi deimlo 'mod i ddim ar ben fy hun. A dywedodd Mo wrtha i ei fod o'n dychmygu ei fod o mewn lle arbennig, hyfryd, ar lan y môr, neu wrth afon goediog, a'i fod o'n canolbwyntio ar y lle, a sut oedd y lle'n arogli ac yn teimlo. Byddwn i'n trio hynny'r tro nesa nad oedd meddwl am bêl-droed yn gweithio.

"Gei di ddweud wrtha i, sti," meddai Mo wedyn, wrth i ni ei throi hi am adref. "Pan ti'n poeni."

"A finna 'run fath." A dyna fo. Roedd rhywun arall yn gwybod am Y Peth Ofnadwy, oedd yn gwneud Y Peth ychydig yn llai ofnadwy.

Y noson honno, wrth i mi wneud fy ngwaith cartref, pingiodd fy ffôn gyda neges. Mo.

Diolch m8

Gwenais. Efallai fod gen i lawer o bethau i boeni amdanyn nhw, ond roedd gen i lawer o bethau i fod yn ddiolchgar amdanyn nhw hefyd. Mo. Mam a Dad a Mati. A phêl-droed ac Aaron Ramsey hefyd.

Diolch i chdi. Wela i di fory.

Dwi'n caru pêl-droed.

Dydy o ddim yn hawdd bob amser. Weithiau, mae eich tîm chi'n gwneud yn wael ac yn torri eich calon. Ond hyd yn oed ar yr adegau hynny, mae'r atgof o hen goliau'n dal yn eich meddwl chi, a dach chi'n gallu cofio'r amseroedd da.

Dros y misoedd a'r blynyddoedd nesa, roedd bywyd yn teimlo weithiau fel petawn i'n cefnogi tîm oedd yn colli o hyd. Mi wellodd troed Dad, ond ddim yn gyfan gwbl, ac er ei fod o'n cicio pêl efo fi weithiau, roedd o'n dioddef braidd wedyn gyda phoen yn ei droed.

Roedd Mo a finnau'n dal yn gymaint o ffrindiau ag erioed, ac yn dal i chwarae i'r ail dîm. Er 'mod i wedi gwella lot fel pêl-droediwr, wnes i ddim cyrraedd yr un safon ag a wnes i'r noson honno ar ôl y gêm yn y clwb. Doedd dim ots.

Aeth Mam a Mati i weld gêm Cymru yn erbyn yr Eidal, ac er mawr hapusrwydd i bawb, ymunodd Mati â'r tîm pêl-droed lleol, a chael ei dewis i chwarae i dîm gogledd Cymru. Ei harwres oedd Jess Fishlock, a byddai Mati'n treulio oriau ar y we yn gwylio hen gemau er mwyn trio gweithio allan sut i chwarae'n debyg iddi.

Aeth Mr Griffiths i weithio mewn ysgol arall, a chlywais i'r un gair amdano wedyn. Roedd yr athrawes a ddaeth yn ei le yn garedig ac yn gynnes ac yn ddigri, ac roedd hi'n meddwl fod gan bawb yr hawl i siarad Cymraeg, waeth sut oedd eu treiglo nhw.

Rhyw flwyddyn ar ôl damwain Dad, pan oedd o'n ôl ar ei draed ac wedi mynd yn ôl i'r gwaith, mi benderfynodd Mam a Dad wahanu. Cafodd Dad dŷ yn ardal Hirael, ddim yn bell i ffwrdd, a byddwn i'n mynd i'w weld o bron bob dydd. Roedd hi'n gyfnod anodd i bawb am ychydig, a phawb yn hiraethu am Dad, a Dad yn hiraethu amdanon ni. Ond ar ôl mis neu ddau, mi ddechreuodd y teulu ddod i arfer, ac roedd 'na rywbeth yn braf am fyw mewn tŷ heb ffraeo. Roedd Mam a Dad yn ffrindiau, diolch byth, ac er y byddai'n well gan Mati a finnau eu bod nhw efo'i gilydd, doedd hi ddim yn sefyllfa ofnadwy, o bell ffordd.

Cymraeg oedd Dad yn siarad gan fwyaf.

Weithiau, hyd yn oed rŵan, pan fydda i'n effro yn y nos, yn ei chael hi'n anodd cysgu am fod pob math o bethau'n troi a throsi yn fy mhen, dwi'n meddwl am goliau. Ac yn fwy na hynny, dwi'n cofio am Aaron Ramsey yn codi ei lygaid at fy rhai i, yn gwenu, ac yn codi bawd. A dwi'n gwenu wrth gofio'r teimlad yna, yn y stadiwm ar ryw nos Sadwrn amser maith yn ôl, pan oedd o'n teimlo fod 'na neb arall yn y byd i gyd heblaw amdana i ac Aaron Ramsey.

£5.99

"Chawn ni ddim siarad am Hywel. Ddim ar ôl be ddigwyddodd."

PLUEN

Manon Steffan Ros

£5.99

Cododd y prism ac edrych trwyddo. Roedd lliwiau'r enfys dros y byd i gyd.

PRISM

MANON STEFFAN ROS

£5.95